ACCESO GRATIS *a la Lectura en la Nube*

Para visualizar el libro electrónico en la nube de lectura envíe junto a su nombre y apellidos una fotografía del código de barras situado en la contraportada del libro y otra del ticket de compra a la dirección:

ebooktirant@tirant.com

En un máximo de 72 horas laborales le enviaremos el código de acceso con sus instrucciones.

COMUNIDADES DE PROPIETARIOS

COMUNIDADES DE PROPIETARIOS

(6ª Edición)

IGNACIO ROSAT ACED
CARLOS ROSAT ACED
(Coordinadores)

LORENA AGUSTÍN PÉREZ
*Licenciada en Administración
y Dirección de Empresas*

JACINTO JOSÉ JIMÉNEZ LUJÁN
Licenciado en Derecho

INMACULADA JAIME LÓPEZ
Licenciada en Derecho

JOSÉ F. LÓPEZ NAVARRO
Licenciado en Derecho

CARLOS ROSAT ACED
Administrador de Fincas

IGNACIO ROSAT ACED
Administrador de Fincas

tirant lo blanch
Valencia, 2017

© Lorena Agustín Pérez
Inmaculada Jaime López
Carlos Rosat Aced
Jacinto Jiménez Luján
José F. López Navarro
Ignacio Rosat Aced

© TIRANT LO BLANCH
EDITA: TIRANT LO BLANCH
C/ Artes Gráficas, 14 - 46010 - Valencia
TELFS.: 96/361 00 48 - 50
FAX: 96/369 41 51
Email:tlb@tirant.com
www.tirant.com
Librería virtual: www.tirant.es
DEPÓSITO LEGAL: V-1918-2017
ISBN: 978-84-9169-111-2
IMPRIME: Guada Impresores

Si tiene alguna queja o sugerencia, envíenos un mail a: atencioncliente@tirant.com. En caso de no ser atendida su sugerencia, por favor, lea en www.tirant.net/index.php/empresa/politicas-de-empresa nuestro Procedimiento de quejas.
Responsabilidad Social Corporativa: http://www.tirant.net/Docs/RSCTirant.pdf

ÍNDICE

ABREVIATURAS

art.	artículo.
BOE	Boletín Oficial del Estado.
CC	Código Civil.
CE	Constitución Española.
corr. de err.	Corrección de errores.
DNI	Documento nacional de identidad.
IVA	Impuesto sobre el valor añadido.
IRPF	Impuesto sobre la Renta de las Personas Físicas.
LAU	Ley de Arrendamientos Urbanos.
LOE	Ley de Ordenación de la Edificación.
LPH	Ley de Propiedad Horizontal.
NIF	Número de Identificación Fiscal.
RD	Real Decreto.
RDL	Real Decreto-Ley.
RH	Reglamento Hipotecario.
ss.	siguientes.
STS	Sentencia del Tribunal Supremo.
TRET	Texto Refundido de la Ley del Estatuto de los Trabajadores.
Tol	Base de datos jurídica *TIRANTONLINE*.
VºBº	Visto Bueno.
V.	Véase.
Vd.	Usted.
VPO	Vivienda de protección oficial.

GUÍA DE BÚSQUEDA RÁPIDA

1. CONSTITUCIÓN Y EXTINCIÓN DE LA PROPIEDAD HORIZONTAL

1. ¿Qué es la Propiedad Horizontal?
2. ¿Cómo se origina la Propiedad Horizontal?
3. ¿Y cómo se configura un régimen de Propiedad Horizontal?
4. ¿Qué es la Declaración de Obra Nueva?
5. ¿Qué trámite sigue a la Declaración de Obra Nueva?
6. Voy a comprar un piso ¿Qué información está obligado a darme el constructor?
7. ¿Cuáles son los requisitos que deben cumplirse para constituir una Comunidad de Propietarios?
8. ¿Qué es el Título Constitutivo?
9. ¿Es lo mismo el Título Constitutivo que la Memoria de Calidades?
10. ¿Quedarán sujetos los edificios en construcción a la Ley de Propiedad Horizontal?
11. ¿Qué ocurre con las Comunidades de Propietarios cuando no se ha otorgado el Título Constitutivo?
12. Soy inquilino de un piso, ¿se rige mi contrato de arrendamiento por la Ley de Propiedad Horizontal?
13. ¿Es cierto que si en nuestro edificio sólo somos cuatro propietarios no nos afecta la Ley de la Propiedad Horizontal?
14. En la finca en que vivía se produjo un incendio a consecuencia del cual tuvimos que abandonarla. ¿Se extingue la Propiedad Horizontal al destruirse el edificio?
15. Aunque el resto de las viviendas de la Comunidad están habitadas y en su día se formalizó la división horizontal y su correspondiente inscripción en el Registro, en mi piso no han finalizado las obras, por lo que aún no puedo ocuparlo. ¿Estoy obligado a contribuir al pago de los gastos comunes?
16. ¿Qué es el derecho de aprovechamiento por turno?
17. ¿Se rigen dichos contratos por la Ley de Propiedad Horizontal?
18. ¿Se rigen las urbanizaciones de chalets por la Ley de Propiedad Horizontal?
19. La finca donde vivo dispone de garaje, sin embargo muchos de los propietarios de las plazas del citado garaje no son dueños de piso y viven fuera del inmueble. ¿Tiene que haber una sola Junta de copropietarios para la finca y el garaje o se pueden constituir dos comunidades independientes?

2. COMUNIDAD DE PROPIETARIOS

20. ¿Quién debe convocar la primera Junta si no existe Presidente e incluso muchos de los pisos todavía no han sido vendidos por el promotor?
21. ¿Qué temas se deberán tratar en la primera Junta?
22. ¿Qué tipos de Juntas existen?

23. ¿Cómo se debe convocar una Junta?
24. ¿Qué ocurriría si la citación a la Junta no se hiciese por escrito?
25. ¿Con cuánto tiempo de antelación se debe hacer la citación para la Junta?
26. ¿Qué es la segunda convocatoria?
27. ¿Puede celebrarse válidamente segunda convocatoria si las citaciones para la misma se han hecho simultáneamente con las de la primera?
28. Las actas de las Juntas ¿Deben ser firmadas por todos los propietarios?
29. Si no es obligatorio que todos los asistentes a una Junta firmen el acta, ¿Cómo puedo mostrar mi desacuerdo, ya que creo que la redacción de la misma no responde a la realidad?
30. No pude acudir a una Junta de la Comunidad por estar de viaje, y en ella se adoptaron una serie de acuerdos con los que no estoy conforme. ¿Qué puedo hacer al respecto?
31. ¿Cuál sería la fórmula idónea para efectuar una notificación?
32. ¿Qué documentación debe poseer una Comunidad de Propietarios?
33. ¿Cómo deben transcribirse las actas de las Juntas?
34. ¿Es obligatorio el Libro de Actas?, ¿cómo debe legalizarse?
35. El Libro de Actas, ¿debe reflejar los acuerdos de una forma determinada?
36. ¿Cabe subsanar la falta de legalización del Libro de Actas mediante diligenciamiento posterior?
37. ¿Puede negarse el Administrador a que un propietario consulte el Libro de Actas o cualquier otra documentación de la Comunidad?
38. ¿Qué sucedería si se perdiera el Libro de Actas?
39. ¿Qué diferencia existe entre aprobar un acuerdo por mayoría o por unanimidad?
40. ¿Qué acuerdos deben ser necesariamente adoptados por unanimidad?
41. ¿Qué tipo de mayorías se requieren para aprobar los diferentes acuerdos?
42. Cómo norma general, ¿qué requisitos debe guardar un acuerdo para ser válido?
43. ¿Cómo se deben efectuar los cálculos para comprobar que la aprobación de un acuerdo, en que se exige la mayoría, ha sido válido?
44. ¿Es válida una citación a un reunión de la Junta de Propietarios realizada por correo electrónico?
45. En las Juntas de mi Comunidad es imposible aprobar cualquier acuerdo, dado que la mayoría de los copropietarios nunca asiste a las mismas ¿qué medidas se pueden adoptar?
46. ¿Es posible impugnar un acuerdo de la Junta?
47. No pude asistir a una Junta de mi Comunidad y no estoy conforme con uno de los acuerdos adoptados. Si tengo treinta días naturales para manifestar mi discrepancia, desde que me comunicaron el acuerdo, ¿he de contar en dicho plazo los días festivos?
48. ¿Es válida la citación, para la celebración de una Junta de Propietarios, efectuada mediante un anuncio en el vestíbulo de la finca?

3. ÓRGANOS AL SERVICIO DE LA COMUNIDAD: PRESIDENTE, ADMINISTRADOR, SECRETARIO

49. ¿Cómo se elige al Presidente de una Comunidad?
50. ¿Qué ocurre si es nombrado como Presidente de la Comunidad una persona que no es propietaria del piso?
51. ¿Cuál es la principal función del Presidente?
52. ¿Qué otros cometidos debe desempeñar?
53. ¿Es válido nombrar un Vicepresidente? ¿Puede éste representar a la Comunidad?
54. En mi Comunidad tenemos que renovar al Presidente el próximo mes, pero ninguno de los propietarios quiere aceptar el cargo, ¿cómo podemos resolver este problema?
55. ¿Se puede nombrar Presidente a un propietario que no ha asistido a la Junta?
56. Quiero construirme en la terraza común del edificio un cuarto trastero. ¿Es suficiente para ello el permiso del Presidente?
57. ¿Se puede destituir al Presidente?
58. Queremos destituir al Presidente dado que no ofrece respuestas claras sobre el estado de cuentas de la finca, pero él se niega a convocar una Junta. ¿Qué podemos hacer?
59. ¿Estoy obligado a ser Presidente?
60. ¿Tendría validez una Junta General Ordinaria a la que no hubiera asistido el Presidente?
61. ¿Cuáles son las funciones del Administrador? ¿Cómo se elige?
62. ¿Qué debemos hacer para contratar a un Administrador profesional?
63. ¿Qué ventajas aporta contar con un Administrador profesional?
64. Queremos destituir al Administrador pues pensamos que no está dedicando la suficiente atención a nuestra Comunidad, por lo que hay muchos asuntos importantes atrasados. ¿Es posible realizar la citada destitución?
65. ¿Cuál es la labor del Secretario?
66. ¿Quién puede ser Secretario?

4. ESTATUTOS Y REGLAMENTO DE RÉGIMEN INTERIOR

67. ¿Qué son los Estatutos?
68. ¿Qué significa que los Estatutos «*no perjudicarán a terceros si no han sido inscritos en el Registro de la Propiedad*»?
69. ¿Qué ventajas puede tener el que los Estatutos obliguen a los futuros propietarios?
70. ¿Dónde constan los Estatutos?
71. ¿Es válido un Estatuto, que ha sido otorgado por el promotor o constructor del edificio cuando no había vendido los pisos y en el que no intervinieron, en su redacción las personas que posterioridad adquirieron los pisos y locales?
72. ¿Es obligatorio que el Título Constitutivo de un edificio contenga Estatutos?
73. ¿Qué normas deben cumplir los Estatutos para ser válidos?

74. Queremos aprobar unos Estatutos en los que conste la prohibición de instalar actividades comerciales en los pisos, tales como oficinas y academias pero un propietario se niega. ¿Es cierto que no podemos aprobarlos?

75. ¿Qué pueden contener los Estatutos?

76. ¿Qué acuerdo es necesario para aprobar los Estatutos?

77. ¿Qué pasos legales debe cumplir una Comunidad que desee disponer de unos Estatutos?

78. ¿Pueden modificarse los Estatutos?

79. ¿Quién debe presentar los Estatutos ante Notario?

80. ¿Qué son las Normas o Reglamentos de Régimen Interior?

81. ¿A quiénes obligan las Normas de Régimen Interior?

82. ¿Cómo se aprueban las Normas de Régimen Interior?

83. ¿Qué aspectos pueden regular las Normas de Régimen Interior?

84. ¿Cómo se debe actuar en caso de incumplimiento de las Normas de Régimen Interior?

85. ¿Qué otras actividades prohíbe la Ley aparte de aquellas no permitidas en los Estatutos?

86. ¿Qué diferencia existe entre los Estatutos y las Normas de Régimen Interior?

5. LA ESCRITURA, DOCUMENTO FUNDAMENTAL

87. ¿Qué datos debe contener la escritura?, ¿es importante tener la escritura de la totalidad del inmueble, o con tener la de mi piso es suficiente?

88. ¿Para qué sirve la cuota de participación?, ¿cómo se aplica?

89. Soy propietario de 2 pisos en distintos inmuebles; en uno de ellos, tengo clara cual es la cuota de participación, pues la escritura fija el 2% de la totalidad, sin embargo en la escritura del segundo, fija «Tres enteros y veinticinco centésimas», ¿cómo se interpreta esta cuota?

90. ¿Por qué se rectifican las cuotas de participación?

91. Soy propietario de un bajo y en la escritura del mismo, fija que quedará exonerado de cualquier gasto producido por el zaguán, el ascensor y la terraza, pero sé que debo pagar el resto de los gastos de la Comunidad. ¿Qué cuota se debe aplicar a unos gastos y a otros, si la escritura fija una única cuota?

92. En la Comunidad a la que pertenezco, desde siempre hemos pagado todos los gastos a partes iguales, ¿es correcta esta actuación?

93. ¿Cómo se establecen las cuotas de participación?, ¿es posible modificarlas?

94. Dado que el piso que poseo no lo habito en todo el año, ¿tengo que pagar la reparación de los elementos comunes?

95. Si no vivo en mi piso, ¿tengo que pagar la limpieza?, ¿estoy obligado a efectuarla?

96. El vecino de arriba se dejó el grifo abierto y me estropeó el falso techo de escayola y parte de las paredes, ¿debe pagarlo él o la Comunidad?

97. ¿Deben contribuir los bajos a los gastos de limpieza de zaguán y ascensor aunque no tengan salida al zaguán y nunca usen el servicio de ascensor?

98. ¿Es posible liberar a un propietario del abono de determinados gastos, como por ejemplo a los bajos, del pago del ascensor?

99. Desearía tener una copia del Título Constitutivo del inmueble donde vivo, pero el Notario se ha jubilado y no sé donde acudir. ¿Qué puedo hacer al respecto?

100. ¿Es posible que dos pisos de igual tamaño de una misma finca, tengan cuotas de participación distintas?

6. ELEMENTOS PRIVATIVOS Y COMUNES

101. Qué son los elementos comunes?

102. ¿Qué tipo de elementos comunes existen?

103. ¿Qué son los elementos privativos?

104. En un patio de luces de la finca, que en el Título Constitutivo consta como elemento común, y al que mi piso no tiene acceso, se rompió una bajante de aguas. ¿Es cierto que tengo que contribuir a la reparación aunque no utilice la citada instalación?

105. ¿Qué son las canalizaciones para el desagüe?

106. Cuando se dice que la red de desagüe y saneamiento son elementos comunes ¿quiere decir que las reparaciones producidas en el sanitario de mi vivienda tiene que pagarlas la Comunidad?

107. Entonces el empalme que sale de mi piso hasta la bajante general ¿es privado o común?

108. ¿La red de cañerías que suministra agua potable a las viviendas es común o privativa?

109. Los contadores de aguas, ¿son elementos comunes o privativos?

110. ¿Es posible vender un elemento común?

111. ¿Son las fachadas elementos comunes?

112. ¿Puede poner un ejemplo de actuaciones que, por modificar la fachada necesiten el permiso de la Comunidad para la realización de las mismas?

113. Si necesito el permiso de la comunidad para acristalar el balcón, ¿Quiere esto decir que es un elemento común?

114. ¿Es necesaria la unanimidad para poder instalar un ascensor?

115. ¿Qué ocurre en el supuesto de que una persona con discapacidad, solicite la instalación de un ascensor o la supresión de una barrera arquitectónica?

116. La terraza que sirve de cubierta al edificio sólo es accesible por el piso de la última planta, por lo que únicamente la disfruta el dueño del citado piso. ¿Quién tiene que pagar el mantenimiento y las reparaciones de la terraza?

117. Si la cubierta del edificio es un elemento común, ¿Es posible que en el Título Constitutivo figure que un determinado piso tenga el derecho de uso exclusivo sobre parte de la misma?

118. ¿Qué son los anejos?

119. ¿Puede el propietario de los bajos efectuar excavaciones en su local para construirse un sótano?

120. El dueño de la planta baja tiene intención de abrir un bar en la misma y pretende instalar una tubería, para la salida de humos de la cocina, que atravesaría el patio interior de la Comunidad. ¿Podemos negarnos a la instalación?

121. Soy una persona con diversidad funcional y he pedido permiso a la Comunidad para poder construir, en el portal, una pequeña rampa que permita el acceso de mi silla de ruedas, pero hay un propietario que se niega alegando que la misma reduciría el paso del portal. ¿Es cierto que no puedo instalar la rampa dado que no hay unanimidad y que la modificación implica a un elemento común?

122. Soy radioaficionado y quiero instalar una antena en el terrado, ¿necesito para ello el permiso unánime de la Comunidad?

123. Si para instalar un aire acondicionado en mi piso he de abrir un hueco en el muro que da a la calle, ¿tengo que pedir permiso a la Comunidad?

124. ¿Puede el vecino del primer piso construirse un cuarto trastero en el patio interior de la finca?

125. Vivo en un primer piso al que es muy fácil acceder a través de sus ventanas, por lo que, por motivos de seguridad, he decidido instalar rejas. ¿Tengo obligación de pedir permiso a la Comunidad?

126. Queremos instalar una puerta mecánica en el garaje, dada la incomodidad que genera la puerta manual de que disponemos en la actualidad. ¿Se requiere la unanimidad para la instalación de dicha puerta por modificar los elementos comunes?

7. OBRAS DE REPARACIÓN Y MEJORA; QUIÉN DEBE PAGARLAS Y EN QUÉ PROPORCIÓN

127. Dado que es obligatorio pagar las obras de reparación ordinarias y las de reparación extraordinarias ¿En que consisten unas y otras y en qué se diferencian de las obras urgentes?

128. Las citadas obras de reparación ¿se deben de pagar por partes iguales?

129. ¿Podría acordarse otra forma de pago que no fuera en relación a la cuota de participación?

130. Si la Junta no aprobara unas reparaciones en un elemento común que son de importancia y que me afectan como propietario, ¿cómo debo proceder?

131. En mi Comunidad se aprobó en Junta, pintar las paredes y arreglar el suelo del zaguán, ya que, debido al paso de los años, se encuentran en mal estado. El dueño de los bajos se niega a contribuir a la obra ya que su local no tiene puerta o acceso a la escalera. ¿Tiene obligación de contribuir a las obras?

132. ¿Qué son las obras de innovación?

133. ¿Qué clases de obras de innovación pueden darse?

134. La Junta de la Comunidad aprobó la instalación de una antena parabólica para ver más canales privados. No estoy de acuerdo con esa decisión. ¿Estoy obligado a pagar mi parte proporcional de esa obra?

135. En general ¿qué tipo de mejoras no estoy obligado a pagar?

136. Vivo en una finca antigua que no dispone de ascensor y queremos instalar uno, pero existe un propietario que, aunque no se niega, dice que no va a pagarlo. ¿Es cierto que si lo instalamos podrá utilizarlo aunque no pague?

137. En mi finca se ha instalado un aire acondicionado común, medida con la que estaba de acuerdo y que se consideró una mejora. No obstante por atravesar un mal

momento económico no he abonado mi parte, por lo que no dispongo de entrada del mismo en mi casa. Si en un futuro pudiera y lo deseara, ¿podría solicitar el incorporarme a dicho servicio?

138. La Junta de mi Comunidad aprobó construir unos trasteros de uso común en la terraza del inmueble. Yo no estaba a favor de dicho acuerdo. ¿Estoy obligado a pagar las citadas obras?
139. ¿Qué otras obras implican la alteración de un elemento común?
140. ¿Pueden los propietarios de las plantas bajas instalar carteles o rótulos en la fachada?
141. ¿Debo pagar los gastos de limpieza si no vivo en la finca?
142. ¿Existe alguna diferencia entre las distintas obras que se pueden realizar en un elemento común?

8. DERECHOS Y OBLIGACIONES DEL PROPIETARIO

143. ¿Dónde se encuentran enumeradas las obligaciones de todo propietario?
144. ¿Debo pagar los gastos comunes de un piso que poseo y que no habito en todo el año?
145. La calefacción central del inmueble donde resido siempre ha funcionado mal, pero la Comunidad nunca ha adoptado una decisión definitiva al respecto, por lo que he decidido dejar de pagar mi parte de los gastos comunes hasta que se arregle la calefacción. ¿Es correcta mi postura?
146. Uno de los pisos de nuestra Comunidad está alquilado. ¿A quién hay que reclamarle el pago de los gastos comunitarios, al inquilino o al propietario?
147. ¿Puede venderse un piso cuyo propietario tiene deudas pendientes con la Comunidad?
148. Voy a comprarme un piso y quisiera saber en que medida soy responsable de las deudas que pudiera tener el anterior propietario con la Comunidad.
149. ¿Quiere esto decir que si comprara el piso en diciembre tendría que responder de las deudas de casi tres años?
150. Un propietario que tenía deudas de cinco años con la Comunidad, ha vendido el piso. ¿A quién hay que reclamar esas deudas, al antiguo o al nuevo propietario?
151. ¿Qué es una cláusula de exoneración?
152. ¿Dónde constan esas cláusulas?
153. Recientemente he adquirido un piso nuevo en el que aún no se ha constituido la Comunidad y el constructor posee todavía la mayoría de los pisos. ¿Estoy obligado a contribuir a los gastos de mantenimiento del inmueble o los ha de pagar el constructor hasta que se constituya la Comunidad?
154. ¿Tengo obligación de permitir la entrada en mi casa a los albañiles a efectuar una reparación que no me afecta?
155. Cuando la Ley determina que en el piso no se pueden desarrollar actividades molestas, peligrosas, incomodas, insalubres o ilícitas. ¿A qué se refiere concretamente?
156. ¿Qué debemos entender por actividades peligrosas para la finca?
157. ¿Qué debemos entender por actividades inmorales?

158. ¿Qué debemos entender por actividades peligrosas, incomodas o insalubres?
159. Creemos que la vecina del piso superior esta mentalmente desequilibrada, pues almacena gran cantidad de trastos y desperdicios que provocan un mal olor constante ¿Es contraria su actuación a la Ley?
160. ¿Es legal tener animales en los pisos?
161. ¿Existe algún límite respecto al número de animales que pueden alojarse en cada domicilio?
162. ¿Qué ocurre con los animales salvajes?
163. ¿Puedo denunciar a mi vecino que mantiene en su terraza un gallinero?
164. En nuestra Comunidad se está produciendo una situación muy delicada y violenta, pues una de nuestras vecinas, cuyo dormitorio da al patio de luces, tiene la costumbre de gritar cuando hace el amor, gritos que se oyen en toda la finca la cual esta llena de niños. ¿Su actuación es contraria a la Ley?
165. ¿Puede la Comunidad de Propietarios limitar de alguna forma mi derecho a vender mi piso?
166. ¿Puede la Comunidad de propietarios limitar mi derecho a alquilar el piso?
167. ¿Tengo que pedir permiso a la Comunidad para realizar obras dentro de mi casa?
168. Al ocupar el piso que he comprado, me he dado cuenta que muchos de sus elementos están mal construidos y lo hacen inhábil para vivir ¿contra quién tengo que demandar y en qué plazo?
169. ¿Cómo se ejercita la demanda por la responsabilidad en que han incurrido, los que han participado en una obra defectuosa, cuya construcción está iniciada, antes del 6 de mayo del 2000, o respecto de la que se ha solicitado la licencia de edificación, antes de esa fecha?
169. Bis La Ley de Ordenación de la Edificación (L 38/1999, de 5 de noviembre) ¿ha modificado la regulación de las demandas contra quienes han intervenido en una edificación o construcción?
170. La Comunidad de Propietarios ¿puede interponer una demanda, para exigir la responsabilidad a los agentes que han intervenido en el proceso de edificación, por las tres clases de defectos que establece la LOE?
171. El vecino del piso superior, se dejó un grifo abierto e inundó el rellano causando desperfectos en la pintura y en el enlucido de las paredes. Dado que él no es dueño del piso, ya que es inquilino, ¿a quién tiene que reclamar la Comunidad?
172. En la última Junta de la Comunidad se aprobó, por mayoría, el constituir un fondo para afrontar los gastos comunes, debiendo aportar cada propietario 60 euros. ¿Es suficiente la mayoría para aprobar la creación de dicho fondo?
173. ¿Tiene la Comunidad la obligación de pagarme las obras de reparación de mi balcón o debo sufragarlas yo?
174. A la hora de realizar obras en mi casa y, como norma general ¿qué limitaciones puedo tener respecto a la realización de las mismas?
175. He acristalado el balcón de mi casa, ya que cuento con la Licencia Municipal, sin embargo, la Comunidad amenaza con denunciarme por carecer del permiso de la Junta de Copropietarios ¿Está la ley de mi parte?
176. ¿Es posible acordar, por parte de la Junta de Copropietarios, conceder a un determinado propietario el permiso de uso y disfrute de una terraza común?

177. El portero se jubiló y su vivienda, que pertenece a la Comunidad, la hemos alquilado; ¿el reparto de los beneficios que produce ese alquiler debe realizarse en partes iguales?

178. Deseo cerrar la galería de mi casa ¿he de pedir permiso a la Comunidad?

179. Existen importantes desperfectos en la fachada de la finca, y la Junta decide buscar un arquitecto para que emita un informe de los daños y un presupuesto de reparación. ¿Puede un copropietario negarse a pagar los honorarios del arquitecto, derivados de su informe y aprobados en la Junta de la Comunidad?

180. ¿Puede pactarse en Junta un pago mensual de gastos, para todos los propietarios por igual, sin adecuarse a las cuotas de participación fijadas en la escritura de división horizontal?

181. ¿Puedo negarme a la contratación de un vigilante jurado que la Comunidad pretende contratar para el garaje, dado que lo considero una mejora no necesaria?

9. TIPOS DE PROCEDIMIENTOS JUDICIALES

182. ¿Qué clases de procesos judiciales prevé la Ley de Propiedad Horizontal?

183. Cuando no sea posible obtener la mayoría para la validez de los acuerdos ni en primera ni en segunda convocatoria, ¿es posible acudir al Juez para adoptar dicha decisión?

184. En el caso de la cuestión anterior, ¿quién puede presentar la demanda y contra qué personas?

185. ¿Qué ocurre cuando existe una contradicción entre una norma estatutaria de una Comunidad y una norma imperativa de la Ley de Propiedad Horizontal?

186. ¿Puede una minoría de copropietarios impugnar judicialmente un acuerdo adoptado en Junta?

187. ¿Contra quién deberá dirigirse la demanda en el supuesto de impugnación de acuerdos?

188. ¿Puede un propietario moroso, al que se le ha privado del derecho de voto, impugnar los acuerdos de la Junta?

189. ¿Son impugnables aquellos acuerdos adoptados en Junta que vulneren la Ley? ¿Y los que sean contrarios a los Estatutos?

190. ¿Quiénes estarán legitimados para interponer la demanda judicial?

191. ¿Contra quién se dirigirá la demanda?

192. ¿Cabe privar, provisionalmente, al propietario del uso de la vivienda por alguna causa?

193. ¿Quiénes están legitimados para interponer la acción de cesación de aquellas actividades prohibidas en un piso o local?

194. ¿Cabe ejercitar acciones por las mismas prohibiciones contra quien ocupe la vivienda sin ser propietario?

195. Si el que realiza las actividades prohibidas es el inquilino, ¿a quién se ha de demandar?

196. ¿De qué dependerá el éxito de estas acciones judiciales?

197. ¿Cabe la reclamación judicial de las deudas contraídas por un copropietario por impago de los gastos generales de la Comunidad?

198. En el supuesto de que se haya pactado que sea el arrendatario o el usufructuario el que corra con los gastos de la Comunidad, ¿contra quién se dirigirá la demanda?
199. ¿Es necesario, para interponer la demanda contra un propietario moroso, haber practicado algún trámite previo?
200. ¿Qué documentos deberán acompañar a la demanda?
201. ¿Se pueden reclamar otros gastos al moroso además de su deuda con la Comunidad?
202. ¿Qué ocurre cuando compro un piso, sobre el que existen deudas pendientes con la Comunidad de Propietarios y que fueron generadas por el vendedor?, ¿Puede dirigirse contra mí la Comunidad para reclamar el pago?
203. ¿Qué medidas podré adoptar en el supuesto anterior?
204. En el caso de que el vendedor no hubiera hecho constar, en la escritura de compraventa las deudas pendientes con la Comunidad ¿será posible inscribir la transmisión en el Registro de la Propiedad?
205. En el supuesto de que existan varios pisos o locales que se encuentren en venta o que todavía sean propiedad del constructor; ¿Será posible reclamar los gastos de Comunidad de estos inmuebles?
206. ¿Será posible exigir al propietario deudor la obligación de pagar intereses de la deuda que mantiene con la Comunidad?
207. ¿Podrá la Comunidad entablar la acción judicial contra un moroso, aún en el supuesto de que dicho propietario tuviera la vivienda hipotecada a favor de alguna entidad bancaria?
208. En el caso de que el propietario que aparece en el Registro de la Propiedad no sea el dueño del piso, ¿a quién debemos exigir el pago de los gastos comunes?
209. ¿Puede solicitarse el embargo preventivo de los bienes del deudor?
210. Es necesaria la intervención de abogado y procurador?
211. ¿Es posible acumular en un único proceso varias acciones dirigidas contra diferentes propietarios morosos?
212. ¿Cuáles son las costas judiciales que se tienen que afrontar al interponer una demanda?
213. ¿Cuáles son las tasas judiciales que hay que abonar al interponer una demanda?

10. LA CONTABILIDAD EN LAS COMUNIDADES DE PROPIETARIOS

214. Soy el Presidente de una Comunidad de Propietarios y me encargo de la administración. Desearía información sobre el modo de llevar las cuentas, considerando que no sé nada de contabilidad.
215. ¿Cuál sería el primer paso a realizar?
216. ¿Cuál debería ser la cuantía del fondo?
217. ¿Hay qué incrementar el fondo anualmente?
218. ¿Qué otras consideraciones deben tenerse en cuenta?
219. ¿Cómo se contabilizan los gastos?
220. ¿Cómo se controlan los recibos?
221. ¿Qué se debe entender por rendición de cuentas?
222. Supuesto primero.

11. PERSONAL CONTRATADO AL SERVICIO DE LA COMUNIDAD

12. CASOS PRÁCTICOS

El patio de mi casa es particular.
Cuando llueve se moja como los demás...
(Canción popular)

¿Elemento privativo?

1. CONSTITUCIÓN Y EXTINCIÓN DE LA PROPIEDAD HORIZONTAL

1. ¿Qué es la Propiedad Horizontal?

La Propiedad Horizontal es una forma de propiedad sobre las diferentes viviendas o locales de una finca urbana, o de cualquier parte de ella susceptible de aprovechamiento independiente, lo que lleva parejo el derecho de copropiedad sobre los elementos comunes del edificio o inmueble.

La Ley que la desarrollaba, hasta su modificación en abril de 1999, estaba compuesta únicamente por 21 artículos, fue aprobada en 1960 y ha sufrido modificaciones posteriores, pues debido a su limitación y al desfase que ha experimentado en los últimos tiempos, (tengamos en cuenta que en los años 60 no existían antenas colectivas, videoporteros, los garajes eran muy escasos etc.) ha dado lugar a importantes y extensas reformas en la que se recogen las últimas interpretaciones de los Tribunales.

Las últimas reformas que se han producido han modificado el artículo 13.2 por la Ley 42/2015, de 5 de octubre, de reforma de la Ley 1/2000, de 7 de enero, de Enjuiciamiento Civil y la modificación de los artículos 2, 3, 9, 10 y 17 y la disposición adicional y la derogación de lo artículos 8, 11 y 12 por la Ley 8/2013, de 26 de junio, de rehabilitación, regeneración y renovación urbanas.

2. ¿Cómo se origina la Propiedad Horizontal?

Existen tres formas principales de creación de un régimen de Propiedad Horizontal:

1.- División por el propietario de un inmueble, hasta entonces único.

2.- División de un inmueble en situación de copropiedad (art. 401 CC.).

3.- Construcción de un inmueble para configurarlo, como un régimen de Propiedad Horizontal, por parte de su promotor.

3.   ¿Y cómo se configura un régimen de Propiedad Horizontal?

Lo habitual es que el Notario otorgue una escritura de Propiedad Horizontal e inscriba individualmente, en el Registro de la Propiedad, los distintos pisos y locales que componen un edificio.

Existen otros procedimientos, alguno de los cuales son poco frecuentes, tales como herencias, partición de bienes o división de cosa común y resoluciones judiciales, que en todo caso se inscribirán en el Registro de la Propiedad.

4.   ¿Qué es la Declaración de Obra Nueva?

La Declaración de Obra Nueva es una escritura que el constructor o el promotor del inmueble realizan ante un notario, siendo necesario justificar tanto la licencia de obras como la certificación final de la misma y en la que se definen las características físicas del edificio. Esta declaración es un paso imprescindible para poder inscribir el inmueble en el Registro de la Propiedad, lo que recibe el nombre de inmatriculación.

5.   ¿Qué trámite sigue a la Declaración de Obra Nueva?

Siguiendo el proceso más común, se puede aprovechar la propia escritura de Declaración de Obra Nueva para efectuar la constitución del Régimen en Propiedad Horizontal.

Esta operación consistirá en dividir el total del edificio en elementos inmobiliarios independientes (pisos, locales anejos etc.) a los que se les asignará una cuota de participación.

6.   Voy a comprar un piso ¿Qué información está obligado a darme el constructor?

Según lo establecido en la Ley 26/1984 de 19 de julio, General para la Defensa de los Consumidores y Usuarios y en el RD 515/1989, de 21 de abril, sobre protección a los consumidores en cuanto a la información a suministrar en la compra-venta y arrendamiento de viviendas, deberán facilitarle toda aquella información que pueda afectar al inmueble que va a adquirir, tal como los datos, características y condiciones relativas a la construcción de la vivienda, su ubicación, servicios e instalaciones, adquisición, materiales empleados, etc.

Así, a modo de ejemplo y en relación a la propia comunidad de propietarios, el artículo 5.2 del citado RD 515/1989 establece que cuando se promocionen viviendas para su venta se tendrá a disposición del público o de las autoridades competentes, además: *«Estatutos y normas de funcionamiento de la Comunidad de Propietarios, en su caso, así como información de los contratos de servicios y suministros de la comunidad. Si la Comunidad de Propietarios ya está funcionando se facilitará un extracto de cuentas y obligaciones de la vivienda objeto de la venta»*

7. **¿Cuáles son los requisitos que deben cumplirse para constituir una Comunidad de Propietarios?**

Básicamente son los siguientes:

1. Que exista un edificio.

2. Que el edificio este dividido en elementos privativos susceptibles de aprovechamiento independiente.

3. Que se haya otorgado el título constitutivo.

En relación al título constitutivo, la LPH establece en el artículo 2 que *«Esta ley será de aplicación… b) A las comunidades que reúnan los requisitos establecidos en el artículo 396 del Código Civil y no hubiesen otorgado el título constitutivo de la propiedad horizontal. Estas comunidades se regirán, en todo caso, por las disposiciones de esta Ley en lo relativo al régimen jurídico de la propiedad, de sus partes privativas y elementos comunes, así como en cuanto a los derechos y obligaciones recíprocas de los comuneros».*

8.   ¿Qué es el Título Constitutivo?

Es el documento público con el que se origina plenamente la Propiedad Horizontal y en el que se describe el inmueble en su totalidad, con sus diferentes pisos y anejos. Asimismo contiene datos de suma importancia como son la cuota de participación, cláusulas de exoneración en algunos casos, etc. También puede contener los Estatutos del inmueble (art. 5 LPH).

9.   ¿Es lo mismo el Título Constitutivo que la memoria de calidades?

En absoluto, ya que la memoria de calidades es una relación detallada de los distintos materiales que se han utilizado para la construcción del inmueble y que el promotor o constructor tiene que tener a disposición del eventual comprador.

10.   ¿Quedarán sujetos los edificios en construcción a la Ley de Propiedad Horizontal?

Podría ser, pero en el Registro de la Propiedad sólo podrá inscribirse el edificio, haciendo constar en el folio correspondiente los pisos meramente proyectados, pero sin poder ser éstos objeto de inscripción separada y especial.

11.   ¿Qué ocurre con las Comunidades de Propietarios cuando no se ha otorgado el Título Constitutivo?

Según el artículo 2 de la LPH esta Ley será de aplicación, entre otros supuestos, a las comunidades que reúnan los requisitos establecidos en el art. 396 CC (existencia de elementos comunes y privativos) y no hubiesen otorgado el título constitutivo de la propiedad horizontal. Estas comunidades se regirán en todo caso por las disposiciones de la LPH en lo relativo al régimen jurídico de la propiedad, de sus partes privativas y elementos comunes, así como en cuanto a los derechos y obligaciones recíprocas de los comuneros.

12.   Soy inquilino de un piso, ¿se rige mi contrato de arrenda-miento por la Ley de Propiedad Horizontal?

No. Este es un error de interpretación muy habitual. Las relaciones entre los dueños de los pisos o locales con el resto de copropietarios se establecen en la Ley de Propiedad Horizontal mientras que las relaciones entre arrendadores y arrendatarios se rigen por la normas de arrendamientos urbanos.

13.   ¿Es cierto que si en nuestro edificio sólo somos cuatro propietarios no nos afecta la Ley de la Propiedad Horizontal?

Cuando el número de propietarios de viviendas o locales en un edificio no exceda de cuatro podrán acogerse al régimen de administración del artículo 398 del Código Civil, si expresamente lo establecen los estatutos. Así sí lo establece el artículo 13.8 LPH.

14.   En la finca en que vivía se produjo un incendio a consecuencia del cual tuvimos que abandonarla. ¿Se extingue la Propiedad Horizontal al destruirse el edificio?

El art. 23 LPH establece que el régimen de propiedad horizontal se extingue por la destrucción del edificio, salvo pacto en contrario. Se estimará producida aquélla cuando el coste de la reconstrucción exceda del cincuenta por ciento del valor de la finca al tiempo de ocurrir el siniestro, a menos que el exceso de dicho coste esté cubierto por un seguro.

15.   Aunque el resto de las viviendas de la Comunidad están habitadas y en su día se formalizó la división horizontal y su correspondiente inscripción en el Registro, en mi piso no han finalizado las obras, por lo que aún no puedo ocuparlo. ¿Estoy obligado a contribuir al pago de los gastos comunes?

Sí, ya que desde el momento en que se constituye la Comunidad de Propietarios, existe obligación de contribuir al sostenimiento de los gastos comunes, en proporción a la cuota de participación, tal como establece el art. 9.1. e) de la LPH y ello con independencia de que se viva o no en el correspondiente inmueble.

16.   ¿Qué es el derecho de aprovechamiento por turno?

Se entiende por contrato de aprovechamiento por turno de bienes de uso turístico aquel de duración superior a un año en virtud del cual un consumidor adquiere, a título oneroso, el derecho a utilizar uno o varios alojamientos para pernoctar durante más de un período de ocupación y está regulado, en la actualidad por Ley 4/2012, de 6 de julio, de contratos de aprovechamiento por turno de bienes de uso turístico, de adquisición de productos vacacionales de larga duración, de reventa y de intercambio y normas tributarias. Esta figura jurídica era conocida como *multipropiedad*, pero el legislador ha prohibido denominarla así y el concepto legal es, en la actualidad, el de aprovechamiento por turno de bienes de uso turístico. Tal y como establece el artículo 11 de la Ley 4/2012, estos contratos se suscriben entre un empresario, que es el propietario del inmueble y el consumidor, que va a disfrutar de este inmueble por un período determinado a lo largo del año.

17.   ¿Se rigen dichos contratos por la Ley de Propiedad Horizontal?

No, como hemos comentado, este régimen se regula por la Ley 4/2012, de 6 de julio, con independencia de que el local que se ocupe puede estar sujeto a los derechos y obligaciones que regula la LPH, tales como la necesidad de contribuir a los gastos generales de la Comunidad.

18.   ¿Se rigen las urbanizaciones de chalets por la Ley de Propiedad Horizontal?

El artículo 24 de la LPH establece que lo dispuesto en el artículo 396 del Código Civil será aplicable a aquellos complejos inmobiliarios privados que reúnan unos requisitos:

a) Estar integrados por dos o más edificaciones o parcelas independientes entre sí cuyo destino principal sea la vivienda o locales de negocio.

b) Participar los titulares de estos inmuebles, o de las viviendas o locales de negocio en que se encuentren divididos horizontalmente, con carácter inherente a dicho derecho, en una copropiedad indivisible sobre otros elementos inmobiliarios, viales, instalaciones o servicios.

A los complejos inmobiliarios privados que no opten por constituirse en un régimen de propiedad horizontal o una agrupación de comunidades, les serán aplicables supletoriamente respecto de los pactos que establezcan entre si los copropietarios, las disposiciones de la LPH con respecto a la agrupación de comunidades, tal como regula el art. 24.4 LPH.

19. **La finca donde vivo dispone de garaje, sin embargo muchos de los propietarios de las plazas del citado garaje no son dueños de piso y viven fuera del inmueble. ¿Tiene que haber una sola Junta de copropietarios para la finca y el garaje o se pueden constituir dos comunidades independientes?**

La LPH no recoge en su articulado este tipo de supuesto. No obstante diversas sentencias han admitido, en algunos casos, la actuación jurídica separada de comunidades, con Juntas y órganos representativos distintos. Para ello es necesario que la parte del edificio destinada a garaje se halle, a su vez, dividida en régimen de propiedad horizontal.

2. COMUNIDAD DE PROPIETARIOS
– Constitución
– Documentación necesaria
– Funcionamiento de la Junta

20. ¿Quién debe convocar la primera Junta si no existe Presidente e incluso muchos de los pisos todavía no han sido vendidos por el promotor?

Habitualmente la primera Junta suele ser convocada por el promotor, pero de todas formas y por ser la primera, puede ser convocada por cualquier copropietario, siempre citando a los demás y cumpliendo todos los requisitos legales de una convocatoria, según se desprende de la jurisprudencia y doctrina existente, ya que la LPH no lo indica expresamente.

21. ¿Qué temas se deberán tratar en la primera Junta?

El primer punto que tendrá carácter prioritario será el nombramiento del Presidente, bastando el voto de la mayoría de los asistentes, que a su vez representen la mayoría de las cuotas de participación, para adoptar el acuerdo. Posteriormente deberán nombrarse al Secretario y al Administrador.

Todos los acuerdos se reflejarán en el libro de actas y se notificarán a los propietarios que no hayan asistido.

22. ¿Qué tipos de Juntas existen?

La LPH distingue en su art. 16 dos tipos de Juntas:

La Junta Ordinaria, que se reunirá por lo menos una vez al año, con carácter preceptivo, para aprobar los presupuestos y cuentas y se deberá convocar, por lo menos, con seis días de antelación.

Las Juntas Extraordinarias, que se realizarán en las ocasiones en que el Presidente lo estime conveniente o cuando lo soliciten la cuarta parte de los propietarios, o un número de estos que representen al menos el 25 por 100 de las cuotas de participación.

La convocatoria de las Juntas Extraordinarias se realizará con el tiempo imprescindible, para que pueda llegar a conocimiento de todos los interesados.

23.   ¿Cómo se debe convocar una Junta?

La convocatoria de la Junta, art. 16 de la LPH, la efectuará el Presidente y, en su defecto, los promotores de la reunión, debiendo indicar claramente los siguientes puntos:

1. Si la Junta es Ordinaria o Extraordinaria.

2. Asuntos a tratar (Orden del día).

3. Lugar, día y hora de la Junta en primera o en segunda convocatoria.

4. Relación de los propietarios que no estén al corriente en el pago de las deudas vencidas a la comunidad y advertencia de la privación del derecho de voto si se dan los supuestos previstos en el artículo 15.2.

El artículo 16.3 LPH dispone que «*La citación para la junta ordinaria anual se hará, cuando menos, con seis días de antelación, y para las extraordinarias, con la que sea posible para que pueda llegar a conocimiento de todos los interesados...*»

Asimismo es básico reseñar las observaciones que realiza el artículo 9.1. h) LPH sobre las citaciones, ya que establece la obligación del propietario de «*comunicar a quien ejerza las funciones de Secretario de la comunidad, por cualquier medio que permita tener constancia de su recepción, el domicilio en España a efectos de citaciones y notificaciones de toda índole relacionadas con la comunidad. En defecto de esta comunicación se tendrá por domicilio para citaciones y notificaciones el piso o local perteneciente a la comunidad, surtiendo plenos efectos jurídicos las entregadas al ocupante del mismo. Si intentada una citación o notificación al propietario fuese imposible practicarla en el lugar prevenido en el párrafo anterior, se entenderá realizada mediante la colocación de la comunicación correspondiente en el tablón de anuncios de la comunidad, o en lugar visible de uso general habilitado al efecto, con diligencia expresiva de la fecha y motivos por los que se procede a esta forma de notificación, firmada por quien ejerza las funciones de Secretario de la comunidad, con el visto bueno del Presidente. La notificación practicada de esta forma producirá plenos efectos jurídicos en el plazo de tres días naturales».*

En cuanto a la convocatoria para la celebración de Juntas de Propietarios la jurisprudencia exige, para la validez de los acuerdos que se adopten, que se fije en el orden del día los asuntos a tratar, para que puedan llegar a conocimiento de los copropietarios.

24. ¿Qué ocurriría si la citación a la Junta no se hiciese por escrito?

En tal caso los acuerdos tomados en la junta celebrada serían nulos, siempre, claro está, que alguno de los propietarios los impugnase, ya que el art. 16.2 LPH establece la obligación de incluir una serie de requisitos en la convocatoria y practicar las citaciones en la forma que recoge el art. 9. Asimismo, la jurisprudencia considera nulos los acuerdos tomados en la Junta que no se incluyeron en el orden del día, por tanto, es imprescindible contar con una citación escrita que contenga los asuntos que se van a debatir.

25. ¿Con cuánto tiempo de antelación se debe hacer la citación para la Junta?

Esta pregunta se encuentra claramente respondida en el art. 16 que establece lo siguiente: *«La citación para la junta ordinaria anual se hará, cuando menos, con seis días de antelación, y para las extraordinarias, con la que sea posible para que pueda llegar a conocimiento de todos los interesados».*

26. ¿Qué es la segunda convocatoria?

La Ley establece en su art. 16.2 que «*Si a la reunión de la Junta no concurriesen, en primera convocatoria, la mayoría de los propietarios que representen, a su vez, la mayoría de las cuotas de participación se procederá a una segunda convocatoria de la misma, esta vez sin sujeción a quórum.*

La Junta se reunirá en segunda convocatoria en el lugar, día y hora indicados en la primera citación, pudiéndose celebrarse el mismo día si hubiese transcurrido media hora desde la anterior. En su defecto será nuevamente convocada, conforme a los requisitos establecidos en este artículo, dentro de los ocho días naturales siguientes a la Junta no celebrada, cursándose en este caso las citaciones con una antelación mínima de tres días».

El artículo 17.7 LPH establece que «*(...) En segunda convocatoria serán válidos los acuerdos adoptados por la mayoría de los asistentes, siempre que ésta represente, a su vez, más de la mitad del valor de las cuotas de los presentes.*»

Este artículo se puede explicar con un ejemplo muy sencillo:

Supongamos que una Comunidad se compone de 10 copropietarios, con iguales cuotas de participación:

Convocados debidamente, en primera convocatoria sólo acuden 4 de los mismos, con lo que sería imposible aprobar cualquier acuerdo dado que no puede existir mayoría, que en este caso sería de 6 copropietarios. Sin embargo, citados en segunda convocatoria con una diferencia mínima de media hora, **bastaría la mayoría de los asistentes** que, en el caso de nuestro ejemplo, sería de 3 copropietarios.

Como podemos ver, la Ley pretende, con esta figura, facilitar la toma de acuerdos, ya que en numerosas comunidades nunca se podrían adoptar decisiones al no asistir a las juntas, en muchos casos sistemáticamente, gran parte de los propietarios.

En base a todo lo expuesto, normalmente nos encontraremos con gran número de convocatorias a juntas ordinarias o extraordinarias que están redactadas del siguiente modo:

*«Se convoca a todos los Sres. copropietarios de la Comunidad de Propietarios de xxxxxxxxx a la Junta General Extraordinaria que tendrá lugar a las **20 horas en primera convocatoria y a las 20,30 horas en segunda convocatoria** del día...............».*

No obstante, el art. 17.8° LPH establece que se ha de notificar a los propietarios que no asisten a la Junta los acuerdos tomados en la misma. A partir de la notificación, éstos dispondrán de 30 días naturales para manifestar su disconformidad con dichos acuerdos, en caso contrario se considerarán que votan a favor, salvo en los supuestos expresamente previstos en los que no se pueda repercutir el coste de los servicios a aquellos propietarios que no hubieren votado expresamente en la Junta a favor del acuerdo, o en los casos en los que la modificación o reforma se haga para aprovechamiento privativo.

27. ¿Puede celebrarse válidamente segunda convocatoria si las citaciones para la misma se han hecho simultáneamente con las de la primera?

Sí se puede citar para la segunda convocatoria simultáneamente con la primera, ya que el art. 16.2 LPH dispone que *«La junta se reunirá en segunda convocatoria en el lugar, día y hora indicados en la primera citación...».*

28. Las actas de las Juntas ¿Deben ser firmadas por todos los propietarios?

No es indispensable. El artículo 19.3° LPH exige para la validez del acta que esté firmada por el Presidente y por el Secretario al terminar la reunión o dentro de los diez días naturales siguientes. Desde su cierre los acuerdos serán ejecutivos, salvo que la Ley previere lo contrario.

29. Si no es obligatorio que todos los asistentes a una Junta firmen el acta, ¿Cómo puedo mostrar mi desacuerdo, ya que creo que la redacción de la misma no responde a la realidad?

Cualquier copropietario que interprete que el acta de una Junta no se adapta a la realidad, tiene defectos de fondo o incluso considere que se ha cambiado el resultado de una votación, puede acudir a la vía judicial, pues en la LPH se contempla la posibilidad de impugnar cualquier acuerdo por el propietario disconforme al objeto de evitar la consumación de acuerdos ilegales (art. 18.1° LPH). Los acuerdos de la Junta serán impugnables en los siguientes supuestos:

a) Cuando sean contrarios a la ley o a los estatutos de la comunidad de propietarios.

b) Cuando resulten gravemente lesivos para los intereses de la propia comunidad en beneficio de uno o varios propietarios.

c) Cuando supongan un grave perjuicio para algún propietario que no tenga obligación jurídica de soportarlo o se hayan adoptado con abuso de derecho.

Tal y como establece el art. 18.2° LPH, estarán legitimados para la impugnación de estos acuerdos los propietarios que hubiesen salvado su voto en la Junta, los ausentes por cualquier causa y los que indebidamente hubiesen sido privados de su derecho de voto. Para impugnar los acuerdos de la Junta el propietario deberá estar al corriente en el pago de la totalidad de las deudas vencidas con la comunidad o proceder previamente a la consignación judicial de las mismas. Esta regla no será de aplicación para la impugnación de los acuerdos de la Junta relativos al establecimiento o alteración de las cuotas de participación a que se refiere el artículo 9 entre los propietarios.

30. No pude acudir a una Junta de la Comunidad por estar de viaje, y en ella se adoptaron una serie de acuerdos con los que no estoy conforme. ¿Qué puedo hacer al respecto?

Según el artículo 17.8° de la LPH, el propietario dispone de treinta días naturales para manifestar su discrepancia desde que se le informe del acuerdo adoptado. El procedimiento por el cual debe ser notificado se encuentra regulado en el art. 9 LPH.

31. ¿Cuál sería la fórmula idónea para efectuar una notificación?

La jurisprudencia exige para la validez de la práctica de las notificaciones cualquier forma de que permita tener constancia de su recepción por parte del interesado (correo certificado con acuse de recibo, burofax, la notarial, que reúne todas las garantías de autenticidad...). Cuando intentada sin efecto una notificación en el domicilio facilitado a tal efecto por el propietario, tendrá validez la notificación practicada en el tablón de anuncios de la comunidad. La notificación en el tablón de anuncios de la Comunidad, o lugar similar, como indica la norma, debe cumplir unos requisitos elementales para no provocar indefensión ni adolecer de un defecto de forma. Así, deberá constar expresamente la fecha, los motivos por los que se procede a esta forma de notificación, el contenido de la misma y la firma del Secretario de la Comunidad, con el visto bueno del Presidente.

32. ¿Qué documentación debe poseer una Comunidad de Propietarios?

Como norma general, la única documentación obligatoria que debe poseer una Comunidad es el Libro de Actas y el Libro del Edificio (este último en aquellos edificios entregados a sus propietarios a partir de mayo de 2000). No obstante, existen otros documentos cuya adquisición sería obligatoria, o aconsejable, según los casos:

– Según el artículo 33 de la Ley General Tributaria, las entidades sin personalidad jurídica propia (como es el caso de una Comunidad de propietarios) han de tener código de identificación fiscal (CIF) para sus relaciones con trascendencia tributaria. El CIF se deberá solicitar en la correspondiente Delegación de la Agencia Tributaria.

– Es interesante poseer algún libro de registro contable donde reflejar las cuentas, como un libro de ingresos y gastos, pues la Comunidad de propietarios no se considera comerciante en el sentido del

Código de Comercio y no tiene la obligación de llevar una contabilidad como la que se exige a dichas personas.

– Si, aparte de ello, cuenta con personal a su servicio, deberá poseer la documentación requerida por las normas laborales, con carácter obligatorio.

33.   ¿Cómo deben transcribirse las actas de las Juntas?

El artículo 19 LPH establece el contenido mínimo que han de contener las actas:

– Fecha y lugar de celebración.

– Autor de la convocatoria y, en su caso, los propietarios que la hubiesen promovido.

– Carácter ordinario o extraordinario y la indicación sobre su celebración en primera o segunda convocatoria.

– Relación de todos los asistentes y sus respectivos cargos, así como los propietarios representados.

– El orden del día de la reunión.

– Los acuerdos adoptados, con indicación de los nombres de los propietarios que hubieren votado a favor y en contra de los mismos, así como de las cuotas de participación que respectivamente representen.

34.   ¿Es obligatorio el Libro de Actas?, ¿cómo debe legalizarse?

El único documento que la Ley exige a todas las Comunidades de Propietarios, con independencia de la fecha de construcción del edificio, es el Libro de Actas (art. 19 de LPH), libro que debe ser convenientemente diligenciado por el Registrador de la Propiedad en la forma que reglamentariamente se disponga.

Antes de la reforma del año 92 de la LPH, el anterior artículo 17 estipulaba que el Libro de Actas debía ser *«foliado y sellado por el Juzgado municipal o comarcal correspondiente al lugar de la finca o diligenciado por Notario»*. Por ello, en algunas comunidades de propietarios (las constituidas con anterioridad al año 1992) existirán libros de actas que lleven el sello del Juzgado o la diligencia del Notario.

35. El Libro de Actas, ¿debe reflejar los acuerdos de una forma determinada?

Sí, ya que el art. 19.2 f) establece la obligación de reflejar los acuerdos adoptados «con indicación ... de los nombres de los propietarios que hubieren votado a favor y en contra de los mismos, así como de las cuotas de participación que respectivamente representen».

36. ¿Cabe subsanar la falta de legalización del Libro de Actas mediante diligenciamiento posterior?

Parece que sí es posible hacerlo, de acuerdo con el pronunciamiento de alguna sentencia que, en síntesis, admite el que, una vez subsanado el defecto, el libro tenga validez y fuerza probatoria, siempre y cuando no se acredite su falsedad o inexactitud.

37. ¿Puede negarse el Administrador a que un propietario consulte el Libro de Actas o cualquier otra documentación de la Comunidad?

No. La LPH en su art. 20 e) establece que, en el caso de que el Administrador actúe como Secretario de la Junta, deberá custodiar la documentación de la Comunidad que estará a disposición de los titulares.

38. ¿Qué sucedería si se perdiera el Libro de Actas?

Obviamente y dado el carácter obligatorio que posee dicha documentación se deberá proceder a la adquisición y legalización de uno nuevo.

El Presidente o Secretario de la Comunidad debe afirmar, bajo su responsabilidad, bien en acta notarial o bien ante el Registrador de la Propiedad, que la pérdida del Libro ha sido notificada a todos los propietarios que componen la Comunidad.

Posteriormente a este acto, el Libro deberá ser diligenciado conforme a lo estipulado en el art. 19 de la LPH tal como indicábamos en una pregunta anterior.

39.   ¿Qué diferencia existe entre aprobar un acuerdo por mayoría o por unanimidad?

Un acuerdo es aprobado por unanimidad cuando todos los copropietarios están de acuerdo con el mismo, mientras que en un acuerdo aprobado por mayoría habrá propietarios que hayan votado en contra o se hayan abstenido.

40.   ¿Qué acuerdos deben ser necesariamente adoptados por unanimidad?

En la actualidad, la Ley contempla el régimen de unanimidad aplicable a supuestos muy concretos tratando de flexibilizar el mismo, estableciendo el art. 17.6° LPH que: «*Los acuerdos no regulados expresamente en este artículo, que impliquen la aprobación o modificación de las reglas contenidas en el título constitutivo de la propiedad horizontal o en los estatutos de la comunidad, requerirán para su validez la unanimidad del total de los propietarios que, a su vez, representen el total de las cuotas de participación.*»

41.   ¿Qué tipo de mayorías se requieren para aprobar los diferentes acuerdos?

El art. 17 LPH ha sufrido una importante modificación con la Ley 8/2013 y el régimen de mayorías para la toma de acuerdos en la Junta de Propietarios ha quedado establecido de la siguiente manera:

a) Mayoría de 1/3 de los propietarios que, a su vez, representen 1/3 de las cuotas de participación: La instalación de las infraestructuras comunes para el acceso a los servicios de telecomunicación regulados en el Real Decreto-ley 1/1998, de 27 de febrero, sobre infraestructuras comunes en los edificios para el acceso a los servicios de telecomunicación, o la adaptación de los existentes, así como la instalación de sistemas comunes o privativos, de aprovechamiento de energías renovables, o bien de las infraestructuras necesarias para acceder a nuevos suministros energéticos colectivos (art. 17.1º LPH).

Establecimiento o supresión de equipos o sistemas, no recogidos en el apartado 1º del art. 17 LPH, que tengan por finalidad mejorar la eficiencia energética o hídrica del inmueble y tengan un aprovechamiento privativo (art. 17.3º LPH).

b) Mayoría de 3/5 de los propietarios que, a su vez, representen 3/5 de las cuotas de participación: El establecimiento o supresión de los servicios de portería, conserjería, vigilancia u otros servicios comunes de interés general, supongan o no modificación del título constitutivo o de los estatutos, requerirán el voto favorable de las tres quintas partes del total de los propietarios que, a su vez, representen las tres quintas partes de las cuotas de participación.

Idéntico régimen se aplicará al arrendamiento de elementos comunes que no tengan asignado un uso específico en el inmueble y el establecimiento o supresión de equipos o sistemas, no recogidos en el apartado 1º, que tengan por finalidad mejorar la eficiencia energética o hídrica del inmueble y no tengan un aprovechamiento privativo (art. 17.3º LPH).

c) Unanimidad: Los acuerdos no regulados expresamente en el art. 17 LPH, que impliquen la aprobación o modificación de las reglas contenidas en el título constitutivo de la propiedad horizontal o en los estatutos de la comunidad, requerirán para su validez la unanimidad del total de los propietarios que, a su vez, representen el total de las cuotas de participación (art. 17.6º LPH).

d) Mayoría de los propietarios que, a su vez, representen la mayoría de las cuotas de participación: Para la validez de los demás acuerdos bastará el voto de la mayoría del total de los propietarios que, a su vez, representen la mayoría de las cuotas de participación. En segunda convocatoria serán válidos los acuerdos adoptados por la mayoría de los asistentes, siempre que ésta represente, a su vez, más de la mitad del valor de las cuotas de los presentes (art. 17.7º LPH).

Sin perjuicio de lo establecido en el artículo 10.1 b), la realización de obras o el establecimiento de nuevos servicios comunes que tengan por finalidad la supresión de barreras arquitectónicas que dificulten el acceso o movilidad de personas con discapacidad y, en todo caso, el establecimiento de los servicios de ascensor, incluso cuando impliquen la modificación del título constitutivo, o de los estatutos, requerirá el voto favorable de la mayoría de los propietarios, que, a su vez, representen la mayoría de las cuotas de participación (art. 17.2º LPH).

e) Mera comunicación previa a la comunidad: La instalación de un punto de recarga de vehículos eléctricos para uso privado en el aparcamiento del edificio, siempre que éste se ubique en una plaza individual de garaje, sólo requerirá la comunicación previa a la comunidad. El coste de dicha instalación y el consumo de electricidad correspondiente serán asumidos íntegramente por el o los interesados directos en la misma (art. 17.5º LPH).

f) Régimen especial de acuerdos del art. 10 LPH: El art. 10 LPH ha sufrido una importante modificación tras la entrada en vigor de la Ley 8/2013, afectando al régimen de acuerdos de la Junta de Propietarios en determinados supuestos. Así, este artículo ha quedado redactado de la siguiente manera: «*1. Tendrán carácter obligatorio y no requerirán de acuerdo previo de la Junta de propietarios, impliquen o no modificación del título constitutivo o de los estatutos, y vengan impuestas por las Administraciones Públicas o solicitadas a instancia de los propietarios, las siguientes actuaciones:*

a) Los trabajos y las obras que resulten necesarias para el adecuado mantenimiento y cumplimiento del deber de conservación del inmueble y de sus servicios e instalaciones comunes, incluyendo en todo caso, las necesarias para satisfacer los requisitos básicos de seguridad, habitabilidad y accesibilidad universal, así como las condiciones de ornato y cualesquiera otras derivadas de la imposición, por parte de la Administración, del deber legal de conservación.

b) Las obras y actuaciones que resulten necesarias para garantizar los ajustes razonables en materia de accesibilidad universal y, en todo caso, las requeridas a instancia de los propietarios en cuya vivienda o local vivan, trabajen o presten servicios voluntarios, personas con discapacidad, o mayores de setenta años, con el objeto de asegurarles un uso adecuado a sus necesidades de los elementos comunes, así como la instalación de rampas, ascensores u otros dispositivos mecánicos y electrónicos que favorezcan la orientación o su comunicación con el exterior, siempre que el importe repercutido anualmente de las mismas, una vez descontadas las subvenciones o ayudas públicas, no exceda de doce mensualidades ordinarias de gastos comunes. No eliminará el carácter obligatorio de estas obras el hecho de que el resto de su coste, más allá de las citadas mensualidades, sea asumido por quienes las hayan requerido.

c) La ocupación de elementos comunes del edificio o del complejo inmobiliario privado durante el tiempo que duren las obras a las que se refieren las letras anteriores.

d) La construcción de nuevas plantas y cualquier otra alteración de la estructura o fábrica del edificio o de las cosas comunes, así como la constitución de un complejo inmobiliario, tal y como prevé el artículo 17.4 del texto refundido de la Ley de Suelo, aprobado por el Real Decreto Legislativo 2/2008, de 20 de junio, que resulten preceptivos a consecuencia de la inclusión del inmueble en un ámbito de actuación de rehabilitación o de regeneración y renovación urbana.

e) Los actos de división material de pisos o locales y sus anejos para formar otros más reducidos e independientes, el aumento de su superficie por agregación de otros colindantes del mismo edificio, o su disminución por segregación de alguna parte, realizados por voluntad y a instancia de sus propietarios, cuando tales actuaciones sean posibles a consecuencia de la inclusión del inmueble en un ámbito de actuación de rehabilitación o de regeneración y renovación urbanas.

2. Teniendo en cuenta el carácter de necesarias u obligatorias de las actuaciones referidas en las letras a) a d) del apartado anterior, procederá lo siguiente:

a) Serán costeadas por los propietarios de la correspondiente comunidad o agrupación de comunidades, limitándose el acuerdo de la Junta a la distribución de la derrama pertinente y a la determinación de los términos de su abono.

b) Los propietarios que se opongan o demoren injustificadamente la ejecución de las órdenes dictadas por la autoridad competente responderán individualmente de las sanciones que puedan imponerse en vía administrativa.

c) Los pisos o locales quedarán afectos al pago de los gastos derivados de la realización de dichas obras o actuaciones en los mismos términos y condiciones que los establecidos en el artículo 9 para los gastos generales.

3. Requerirán autorización administrativa, en todo caso:

a) La constitución y modificación del complejo inmobiliario a que se refiere el artículo 17.6 del texto refundido de la Ley de Suelo, aprobado por el Real Decreto Legislativo 2/2008, de 20 de junio, en sus mismos términos.

b) Cuando así se haya solicitado, previa aprobación por las tres quintas partes del total de los propietarios que, a su vez, representen las tres quintas partes de las cuotas de participación, la división material de los pisos o locales y sus anejos, para formar otros más reducidos e independientes; el aumento de su superficie por agregación de otros colindantes del mismo edificio o su disminución por segregación de alguna parte; la construcción de nuevas plantas y cualquier otra alteración de la estructura o fábrica del edificio, incluyendo el cerramiento de las terrazas y la modificación de la envolvente para mejorar la eficiencia energética, o de las cosas comunes, cuando concurran los requisitos a que alude el artículo 17.6 del texto refundido de la Ley de Suelo, aprobado por el Real Decreto Legislativo 2/2008, de 20 de junio.

En estos supuestos deberá constar el consentimiento de los titulares afectados y corresponderá a la Junta de Propietarios, de común acuerdo con aquéllos, y por mayoría de tres quintas partes del total de los propietarios, la determinación de la indemnización por daños y perjuicios que corresponda. La fijación de las nuevas cuotas de participación, así como la determinación de la naturaleza de las obras que se vayan a realizar, en caso de discrepancia sobre las mismas, requerirá la adopción del oportuno acuerdo de la Junta de Propietarios, por idéntica mayoría. A este respecto también podrán los interesados solicitar arbitraje o dictamen técnico en los términos establecidos en la Ley.»

42. Como norma general, ¿qué requisitos debe guardar un acuerdo para ser válido?

Básicamente debe cumplir cinco requisitos (y siempre teniendo en cuenta si nos encontramos en primera o en segunda convocatoria):

1. Será necesario haber efectuado la citación a la junta con todas las condiciones que establece la Ley o los que pudieran existir en los Estatutos o reglamentos de la Comunidad.

2. En la citación deberá constar el orden del día, es decir, los temas que serán tratados y sometidos a votación.

3. El acuerdo deberá transcribirse al Libro de Actas.

4. Dependiendo del acuerdo que se trate, deberá tenerse en cuenta el tipo de mayoría necesaria para su válida aprobación.

5. Debe comunicarse a los propietarios ausentes, que podrán manifestar su discrepancia en el plazo de treinta días naturales a contar desde la comunicación.

43. ¿Cómo se deben efectuar los cálculos para comprobar que la aprobación de un acuerdo, en que se exige la mayoría, ha sido válido?

Hay que efectuar tres pasos:

1. Contabilizar todos los votos de los propietarios presentes y de los propietarios representados.

2. Comprobar que la suma de los votos favorables al acuerdo es superior a la mitad de los votos contabilizados en el primer punto (suma de propietarios presentes y representados).

3. Comprobar que la suma de las cuotas de participación de los propietarios que han aprobado el acuerdo (presentes o representados) es superior al 50 % de las cuotas de los mismos. En la realidad cotidiana del funcionamiento de las Juntas en las Comunidades de propietarios, no se suele realizar el citado cómputo de las cuotas de participación, ya que, normalmente, por desconocimiento legal y no por mala fe, sólo se toma en cuenta para la aprobación de una propuesta el número de votos. Esto no se puede obviar, puesto que esta forma simplificada de calcular los votos puede dar lugar a que el acuerdo carezca de validez.

44.   ¿Es válida una citación a una reunión de la Junta de Propietarios realizada por correo electrónico?

Cada vez son más las comunidades de propietarios que, para ahorrar costes en las comunicaciones y agilizar las mismas, eligen el correo electrónico como forma habitual de notificaciones con respecto a los comuneros. Adquiere esta forma de comunicación una especial relevancia, sobre todo, a la hora de notificar las liquidaciones, las actas de las juntas y comunicaciones de otra índole que el Presidente o el Administración quieran hacer llegar a los propietarios del inmueble.

La principal dificultad que plantea el correo electrónico, sobre todo a la hora de utilizarlo como medio habitual de notificación en las comunidades de propietarios, es la acreditación de la recepción del mismo por parte del destinatario. Recordemos que la jurisprudencia exige la fehaciencia de la notificación y que, en caso de conflicto, la carga de la prueba de que se haya practicado dicha notificación corresponde, ante un Juzgado o Tribunal, a la parte que alegue que dicha notificación se ha practicado, tal y como previene el art. 217.3º de la Ley de Enjuiciamiento Civil.

Como regla general, nuestros Juzgados y Tribunales admiten como prueba válida en juicio los correos electrónicos siempre y cuando, en caso de impugnación de esta prueba, un perito informático pueda dictaminar la validez de los mismos. Para ello deberá facilitarse al perito los metadatos del correo que permitan emitir un dictamen concluyente.

Por tanto, como conclusión, podemos afirmar que el correo electrónico puede utilizarse como medio normal de notificación en una comunidad de propietarios siempre y cuando se cumplan una serie de requisitos:

1°.- Que el propietario haya designado expresamente este medio de comunicación para practicar las notificaciones ordinarias de la comunidad.

2°.- Que, en caso de conflicto entre emisor y destinatario, el correo electrónico permita garantizar la fehaciencia de la comunicación (tanto la emisión como la recepción del mismo).

3°.- Que el correo electrónico no supla, sobre todo en el caso de las convocatorias a las juntas de propietarios, la práctica de las notificaciones prevista en el art. 9.1° h) LPH.

45. En las Juntas de mi Comunidad es imposible aprobar cualquier acuerdo, dado que la mayoría de los copropietarios nunca asiste a las mismas ¿qué medidas se pueden adoptar?

Como ya hemos explicado, en estos casos será necesaria la realización de una segunda convocatoria. Si en esta segunda convocatoria también fuera imposible la adopción de un acuerdo por existir empate, cualquier propietario podrá acudir al Juez durante el mes siguiente a la fecha en que se realizó la segunda convocatoria de la Junta, para que aquél resuelva lo procedente.

El Sr. Juez convocará a los propietarios afectados para que estos comparezcan y expongan las razones que les llevaron a adoptar una u otra postura. Una vez efectuadas estas comparecencias, el juez «*resolverá en equidad lo que proceda dentro de veinte días, contados desde la petición, haciendo pronunciamiento sobre el pago de costas*», así lo recoge el artículo 17.3 de la LPH.

46. ¿Es posible impugnar un acuerdo de la Junta?

El artículo 18.1 LPH establece lo siguiente: «*Los acuerdos de la junta de propietarios serán impugnables ante los Tribunales, de con-*

formidad con lo establecido en la legislación procesal general, en los siguientes supuestos:

a) Cuando sean contrarios a la ley o a los estatutos de la comunidad de propietarios.

b) Cuando resulten gravemente lesivos para los intereses de la propia comunidad en beneficio de uno o varios propietarios.

c) Cuando supongan un grave perjuicio para algún propietario que no tenga obligación jurídica de soportarlo o se hayan adoptado con abuso de derecho».

47. No pude asistir a una Junta de mi Comunidad y no estoy conforme con uno de los acuerdos adoptados. Si tengo treinta días naturales para manifestar mi discrepancia, desde que me notificaron el acuerdo, ¿he de contar en dicho plazo los días festivos?

Sí, porque la LPH se refiere a días naturales. Si la expresión fuera *«días o días hábiles»*, no se incluirían los festivos.

48. ¿Es válida la citación, para la celebración de una Junta de Propietarios, efectuada mediante un anuncio en el vestíbulo de la finca?

La LPH contempla esta posibilidad solamente en el supuesto de que no se pueda citar de otra forma al propietario.

El art. 9.1.h) LPH establece que el propietario está obligado a *«comunicar a quien ejerza las funciones de Secretario de la comunidad, por cualquier medio que permita tener constancia de su recepción, el domicilio en España a efectos de citaciones y notificaciones de toda índole relacionadas con la comunidad. En defecto de esta comunicación se tendrá por domicilio para citaciones y notificaciones el piso o local perteneciente a la comunidad, surtiendo plenos efectos jurídicos las entregadas al ocupante del mismo.*

Si intentada una citación o notificación al propietario fuese imposible practicarla en el lugar prevenido en el párrafo anterior, se en-

tenderá realizada mediante la colocación de la comunicación correspondiente en el tablón de anuncios de la comunidad, o en lugar visible de uso general habilitado al efecto, con diligencia expresiva de la fecha y motivos por los que se procede a esta forma de notificación, firmada por quien ejerza las funciones de Secretario de la comunidad, con el visto bueno del Presidente. La notificación practicada de esta forma producirá plenos efectos jurídicos en el plazo de tres días naturales».

3. ÓRGANOS AL SERVICIO DE LA COMUNIDAD
   – Presidente
   – Administrador
   – Secretario

49. ¿Cómo se elige al Presidente de una Comunidad?

El Presidente debe ser nombrado por la Junta de Copropietarios, bastando para ello un acuerdo mayoritario, ya que no se requiere la unanimidad.

Además deberán tenerse en cuenta las siguientes consideraciones:

– Debe ser propietario (salvo casos muy concretos como que el local pertenezca a entidades jurídicas).

– Ocupará el cargo por un año salvo que los Estatutos de la Comunidad establezcan otro período para la vigencia de los nombramientos.

– Como recomendación, sería conveniente que el Presidente viva en la Comunidad, para agilizar la resolución de cualquier problema que pueda plantearse.

50. ¿Qué ocurre si es nombrado como Presidente de la Comunidad una persona que no es propietaria del piso?

Conforme a lo establecido en el art. 13.2 de la LPH *«El presidente será nombrado, entre los propietarios, mediante elección o, subsidiariamente, mediante turno rotatorio o sorteo.».* No cabe, pues, nombrar presidente a persona no propietaria y, si se hiciera, el acto sería nulo.

51.   ¿Cuál es la principal función del Presidente?

El artículo 13.3 de la LPH establece como función principal del Presidente, la representación legal de la comunidad, en juicio y fuera de él. Ello implica actuar como representante de la Comunidad en todos los temas que la afectan, incluso en procedimientos judiciales.

52.   ¿Qué otros cometidos debe desempeñar?

Además de la función de representación, el Presidente debe desempeñar otros cometidos:

– Convocar y presidir las juntas.

– Ejercitar las acciones judiciales que hayan sido acordadas por la Junta.

– Defender los intereses de la Comunidad en todo tipo de circunstancias.

– Actuar como Secretario y Administrador, salvo que los estatutos dispongan lo contrario o que exista un acuerdo de la Junta nombrando a personas distintas para los citados cargos.

53.   ¿Es válido nombrar un Vicepresidente? ¿Puede éste representar a la Comunidad?

Sí, ya que el artículo 13.4 LPH contempla la posibilidad de que exista este cargo. Asimismo establece que «*Corresponde al vicepresidente, o a los vicepresidentes por su orden, sustituir al presidente en los casos de ausencia, vacante o imposibilidad de éste, así como asistirlo en el ejercicio de sus funciones en los términos que establezca la Junta de Propietarios*», por tanto, podría representar a la comunidad en caso de que le fuera imposible al Presidente cumplir con sus funciones.

54. **En mi Comunidad tenemos que renovar al Presidente el próximo mes, pero ninguno de los propietarios quiere aceptar el cargo, ¿cómo podemos resolver este problema?**

Dado que ninguno de los integrantes de su Comunidad quiere aceptar el cargo de Presidente, el camino a seguir, en estos casos, es acudir al Sr. Juez el cual, tras oír a los interesados, nombrará un Presidente con carácter obligatorio, en virtud del art. 13.2 LPH.

55. **¿Se puede nombrar Presidente a un propietario que no ha asistido a la Junta?**

Sí, aunque no lo consideramos aconsejable si no tenemos la certeza de que el citado propietario aceptará el cargo, ya que de lo contrario, una vez notificado el acuerdo adoptado, podrá impugnar el mismo.

56. **Quiero construirme en la terraza común del edificio un cuarto trastero. ¿Es suficiente para ello el permiso del Presidente?**

Nunca, ya que no se debe olvidar que para modificar cualquier elemento común por afectar al título constitutivo, es necesario el permiso de la Comunidad reunida en Junta, precisándose las mayorías requeridas en los artículos 10 y 17 LPH, en función del tipo de actuación de que se trate.

57. **¿Se puede destituir al Presidente?**

Sí, ya que el art. 13.7 dispone que «......*los designados podrán ser removidos de su cargo antes de la expiración del mandato por acuerdo de la Junta de propietarios, convocada en sesión extraordinaria*». Para ello basta un acuerdo mayoritario de la Junta y es importante hacer constar que será necesario elegir, en la misma Junta, un nuevo Presidente.

58. Queremos destituir al Presidente dado que no ofrece respuestas claras sobre el estado de cuentas de la finca, pero él se niega a convocar una Junta. ¿Qué podemos hacer?

Tal como establece el artículo 16 de la LPH, se puede convocar una Junta, sin necesidad de que lo haga el Presidente, siempre que los firmantes de la misma cumplan uno de los siguientes requisitos:

a) Ser, como mínimo, una cuarta parte del total de propietarios.

b) Que la suma de sus cuotas de participación sea, al menos, un 25 por 100 del total.

59. ¿Estoy obligado a ser Presidente?

Es obligatorio aceptar el cargo de presidente pero, tal como establece el art. 13.2 LPH, «*el propietario designado podrá solicitar su relevo al Juez dentro del mes siguiente a su acceso al cargo, invocando las razones que le asisten para ello*». Por tanto, sólo el Juez va a poder relevarlo de su obligación.

60. ¿Tendría validez una Junta General Ordinaria a la que no hubiera asistido el Presidente?

Entendemos que sí, dado el carácter obligatorio de realización de la Junta Ordinaria que fija la Ley. No obstante al principio de la Junta, la Comunidad debería aprobar la celebración de la misma y delegar en otra persona las funciones del Presidente, debiendo todo ello, al igual que cualquier otro acuerdo adoptado, reflejarse en la correspondiente acta.

61. ¿Cuáles son las funciones del Administrador? ¿Cómo se elige?

Al igual que el Presidente, la figura del Administrador se elige por mayoría de la Junta, incluso cuando se esté debatiendo la contratación de un profesional para el desempeño del citado cargo.

Las funciones que debe desempeñar el Administrador vienen reguladas en el art. 20 de la LPH y son:

1.- Velar por el buen régimen de la casa, sus instalaciones y servicios, y hacer a estos efectos las oportunas advertencias y apercibimientos a los titulares.

2.- Preparar con la debida antelación y someter a la Junta el plan de gastos previsibles, proponiendo los medios necesarios para hacer frente a los mismos.

3.- Atender a la conservación y entretenimiento de la casa, disponiendo las reparaciones y medidas que resulten urgentes, dando inmediata cuenta de ellas a la Junta o, en su caso, a los propietarios.

4.- Ejecutar los acuerdos adoptados en materia de obras y efectuar los pagos y realizar los cobros que sean procedentes.

5.- Actuar, en su caso, como Secretario de la Junta y custodiar, a disposición de los titulares, la documentación de la Comunidad.

6.- Todas las demás atribuciones que se confieran por la Junta.

62.   ¿Qué debemos hacer para contratar a un Administrador profesional?

Si no conocen a ningún profesional de la materia, o bien su Comunidad cree conveniente seleccionar entre varios Administradores, deberán dirigirse al Colegio Profesional de Administradores de Fincas de su provincia donde serán debidamente atendidos e informados.

63.   ¿Qué ventajas aporta contar con un Administrador profesional?

La Administración de Fincas es una profesión en auge que exige cada vez una mayor formación y profesionalidad.

El Administrador de Fincas debe estar colegiado en su respectivo Colegio Profesional, lo que garantizará, en primer lugar, los conocimientos mínimos que deben poseerse para ejercer la profesión, y en segundo término la protección de los derechos de los copropietarios por los que vela el Colegio que actúa como salvaguarda ante cualquier irregularidad, si se produjese, de alguno de sus colegiados.

El Administrador de Fincas, durante el desarrollo profesional y a lo largo de su experiencia, habrá conseguido un equipo de profesionales cualificados que resolverán los problemas que surgen en las Comunidades (fontaneros, albañiles, oficios en general), controlará los problemas de morosidad, agilizando los procesos judiciales, consiguiendo mantener la Comunidad sin problemas económicos y finalmente será el mediador entre los roces que puedan producirse en la convivencia cotidiana, sin ser parte interesada, y actuando, por consiguiente, de manera objetiva e imparcial. Las Comunidades que contratan a un Administrador, difícilmente llegan a prescindir de su figura, aunque cambien, en ocasiones, de profesional.

64.   Queremos destituir al Administrador pues pensamos que no está dedicando la suficiente atención a nuestra Comunidad, por lo que hay muchos asuntos importantes atrasados. ¿Es posible realizar la citada destitución?

Para cesar al Administrador en su cargo se deberá tomar el correspondiente acuerdo mayoritario en Junta Extraordinaria, convocada al efecto, tal como dispone el art. 13.7 LPH. Asimismo entendemos que cuando el Administrador presente el correspondiente estado de cuentas de la finca, la Comunidad deberá abonarle los honorarios que pudieran quedar pendientes de cobro por su gestión profesional. La Jurisprudencia considera que, para no tener que abonarle indemnización, por haber rescindido el contrato antes del plazo pactado, habrá que demostrar una mala praxis en su gestión.

65.   ¿Cuál es la labor del Secretario?

Podemos enumerar como cometidos más importantes del Secretario los siguientes:

1. Realizar las citaciones a las convocatorias de las Juntas velando porque las mismas cumplan todos los requisitos legalmente establecidos.

2. Levantar acta de todas las juntas y reflejarlas en el Libro de Actas, el cual se encargará, también, de custodiar.

3. Realizar las notificaciones de los acuerdos adoptados en Junta a los propietarios que no hubieran acudido a la misma.

4. Expedir certificaciones de los acuerdos adoptados, o del contenido de las actas.

5. Custodiar la documentación de la Comunidad y en especial el Libro de Actas como se ha comentado.

66.   ¿Quién puede ser Secretario?

Puede ser Secretario:

– Cualquier Propietario.

– Una persona ajena a la Comunidad. En este caso, se suele sumar esta función a la de Administrador.

Es importante reseñar que el Secretario puede renunciar a su cargo y que, al igual que al Presidente, la Junta puede destituirlo cumpliéndose los mismos requisitos legales.

4. ESTATUTOS Y REGLAMENTO DE RÉGIMEN INTERIOR

67. ¿Qué son los Estatutos?

Tal como define la LPH en su art. 5, son «*reglas de constitución y ejercicio del derecho y disposiciones no prohibidas por la Ley en orden al uso o destino del edificio, sus diferentes pisos y locales, instalaciones y servicios, gastos, administración y gobierno, seguros, conservación y reparaciones, formando un estatuto privativo que no perjudicará a terceros si no ha sido inscrito en el Registro de la Propiedad*».

68. ¿Qué significa que los Estatutos «*no perjudicarán a terceros si no han sido inscritos en el Registro de la Propiedad*»?

Si no se hubiera cumplido el trámite de su inscripción de los estatutos en el Registro de la Propiedad, los mismos no obligarían a los futuros propietarios de pisos.

69. ¿Qué ventajas puede tener el que los Estatutos obliguen a los futuros propietarios?

Las razones son obvias, imagínese que en los Estatutos de su Comunidad está prohibido el que los propietarios puedan llevar a cabo en su piso una actividad comercial, como puede ser una academia de música, peluquería etc. Si los Estatutos no están inscritos en el Registro de la Propiedad, cualquier nuevo adquirente no estará obligado por el citado Estatuto y podrá realizar aquellas actividades que el resto de los comuneros tenían prohibidas.

70.   ¿Dónde constan los Estatutos?

Figuran en el Título Constitutivo del inmueble, siendo ésa otra de las razones de suma importancia que nos debe encaminar a leerlo detenidamente.

No obstante, los mismos se pueden recoger en documento independiente del Título, en el supuesto de que fueran aprobados por unanimidad de los propietarios.

71.   ¿Es válido un Estatuto, que ha sido otorgado por el promotor o constructor del edificio cuando no había vendido los pisos y en el que no intervinieron, en su redacción, las personas que posteriormente adquirieron los pisos y locales?

En la práctica cotidiana los Estatutos se suelen otorgar por los constructores o promotores del edificio mientras son los únicos propietarios del mismo. Al respecto la Jurisprudencia ha considerado que no se afecta al Título Constitutivo de la Propiedad Horizontal por el hecho de que en su otorgamiento no concurrieron quienes adquirieron una vivienda mediante documento privado, y por tanto, será válido el Estatuto en cuestión, obligando a todos los propietarios, presentes y futuros.

72.   ¿Es obligatorio que el Título Constitutivo de un edificio contenga Estatutos?

No, ya que el art. 5 LPH establece que el título constitutivo *«podrá»* contener *«…reglas de constitución y ejercicio del derecho y disposiciones no prohibidas por la Ley en orden al uso o destino del edificio, sus diferentes pisos o locales, instalaciones y servicios, gastos, administración y gobierno, seguros, conservación y reparaciones, formando un estatuto privativo que no perjudicará a terceros si no ha sido inscrito en el Registro de la Propiedad».*

73.   ¿Qué normas deben cumplir los Estatutos para ser válidos?

Como normas generales cabe destacar:

– Deben ser aprobados por unanimidad, al tratarse de una modificación de la cosa común según lo regulado en el art. 17.6 de la LPH.

– El Título Formal ha de ser una escritura otorgada ante Notario.

– Los mismos han de proceder de las personas que, en el Registro, constan como propietarios.

74. **Queremos aprobar unos Estatutos en los que conste la prohibición de instalar actividades comerciales en los pisos, tales como oficinas y academias pero un propietario se niega. ¿Es cierto que no podemos aprobarlos?**

Así es, ya que para la aprobación de los Estatutos se requiere unanimidad, por lo que un acuerdo mayoritario no sería suficiente para su aprobación.

Al respecto cabe mencionar que, con toda probabilidad, el propietario disidente tendrá en mente la instalación de una de las actividades que la Comunidad pretende prohibir, con lo cual nunca aceptará este tipo de Estatutos.

75. **¿Qué pueden contener los Estatutos?**

Siempre dentro del respeto a la Ley, los Estatutos pueden contener:

– Reglas de constitución, las cuales regularán los derechos y obligaciones no especificados por la Ley.

– Normas sobre el ejercicio del derecho en relación con el uso o destino del edificio.

– Normas relativas a gastos, administración, gobierno, seguros, conservación y reparaciones.

Como ejemplo práctico de los puntos anteriores podemos citar:

– Exoneración a los locales de negocio de determinados gastos como los gastos de patio, escalera y ascensor.

– Prohibición de establecer actividades comerciales o industriales en los pisos, tales como academias, peluquerías, etc.

76.   ¿Qué acuerdo es necesario para aprobar los Estatutos?

La LPH lo especifica en el art. 17.6: «*Los acuerdos no regulados expresamente en este artículo, que impliquen la aprobación o modificación de las reglas contenidas en el título constitutivo de la propiedad horizontal o en los estatutos de la comunidad, requerirán para su validez la unanimidad del total de los propietarios que, a su vez, representen el total de las cuotas de participación*».

77.   ¿Qué pasos legales debe cumplir una Comunidad que desee disponer de unos Estatutos?

Una vez redactados, deberán ser aprobados mediante acuerdo unánime, por la Junta de Copropietarios, válidamente convocada y constituida, debiendo aprobarse así mismo el acuerdo para convertirlos en escritura y posterior inscripción en el Registro.

No podrán contener disposiciones prohibidas por la Ley y deberán ser presentados ante el Notario, junto con el Libro de Actas donde conste su aprobación unánime al objeto de que se recojan en Escritura Pública, pasos tras los cuales deberán ser inscritos en el Registro de la Propiedad, para que puedan tener validez frente a terceros.

Consideramos conveniente que en la redacción de los Estatutos participe un profesional, al objeto de evitar que puedan redactarse posibles acuerdos contrarios a la Ley.

78.   ¿Pueden modificarse los Estatutos?

Sí pero, al igual que para su aprobación, será necesario que la Junta sea debidamente convocada, que se celebre cumpliendo lo regulado en los arts. 15, 16 y 17 de la LPH y que el acuerdo sea aprobado por unanimidad. Las modificaciones efectuadas deberán ser inscritas en el Registro para que puedan tener validez frente a terceras personas.

No obstante debe tenerse en cuenta que, con la actual redacción de la LPH, hay acuerdos que pueden modificar los estatutos y no requieren unanimidad. Véase a modo de ejemplo el 17.2 LPH (el subrayado es nuestro) «*2. Sin perjuicio de lo establecido en el artículo 10.1 b), la realización de obras o el establecimiento de nuevos servicios comunes que tengan por finalidad la supresión de barreras arquitectónicas que dificulten el acceso o movilidad de personas con discapacidad y, en todo caso, el establecimiento de los servicios de ascensor, <u>incluso cuando impliquen la modificación del título constitutivo, o de los estatutos, requerirá el voto favorable de la mayoría de los propietarios,</u> que, a su vez, representen la mayoría de las cuotas de participación*».

O el 17.3 LPH «*El establecimiento o supresión de los servicios de portería, conserjería, vigilancia u otros servicios comunes de interés general, <u>supongan o no modificación del título constitutivo o de los estatutos,</u> requerirán el voto favorable de las tres quintas partes del total de los propietarios que, a su vez, representen las tres quintas partes de las cuotas de participación...*».

79. ¿Quién debe presentar los Estatutos ante Notario?

Normalmente se suele facultar al Presidente para ello, el cual deberá aportar el Libro de Actas o un certificado del Secretario en el que se hará constar el acuerdo unánime de aprobación, escrituración e inscripción.

80. ¿Qué son las Normas o Reglamentos de Régimen Interior?

Son normas que regulan la convivencia y la adecuada utilización de los servicios y cosas comunes, siempre dentro de los límites fijados por la Ley y los Estatutos.

81. ¿A quiénes obligan las Normas de Régimen Interior?

Obligan a todos los titulares, entendiendo por tales no sólo los propietarios sino en general los ocupantes de los pisos o locales. Sin embargo, y a diferencia de los Estatutos, no tienen validez frente a terceras personas.

82.   ¿Cómo se aprueban las Normas de Régimen Interior?

Siguiendo el art. 17.7° de la LPH, para su aprobación o modificación será necesario el acuerdo mayoritario de la Junta, a diferencia de los Estatutos que precisan la unanimidad.

Una vez aprobadas, las mismas deben transcribirse al Libro de Actas de la Comunidad.

83.   ¿Qué aspectos pueden regular las Normas de Régimen Interior?

Son muchos y variados y los mismos se establecerán dependiendo de las características de cada Comunidad. A modo de ejemplo podemos destacar:

– Prohibición de realizar determinadas actividades como el tendido de ropas en patios interiores.

– Horario para sacar la basura.

– Prohibición de que los niños jueguen en la terraza común.

– Obligación de cerrar con llave la puerta o reja del patio.

– Prohibición de arrojar objetos por los patios interiores.

– Uso de aparatos elevadores (bien sean ascensores o montacargas).

– Turno y/o sistema de limpieza del patio o escalera.

– Limitación de ruidos a partir de determinadas horas.

– Horario y normas de uso de determinados elementos comunes como piscinas, locales sociales, pistas deportivas… etc.

– Normas relativas al funcionamiento de los órganos de la Comunidad, medios de información de los temas inherentes a la Comunidad, tablón de anuncios, etc.

– Otros.

84. ¿Cómo se debe actuar en caso de incumplimiento de las Normas de Régimen Interior?

Deberá apercibirse al infractor e incluso, si las normas recogen algún tipo de sanción, la misma podrá imponérsele, e incluso acudir a la vía judicial. Respecto a las sanciones, su eficacia es realmente limitada pues no pueden imponer restricciones y prohibiciones a la propiedad privada afectando los derechos dominicales o a otros establecidos por Ley.

85. ¿Qué otras actividades prohíbe la Ley aparte de aquellas no permitidas en los Estatutos?

La LPH las cita de forma genérica en su artículo 7.2: «... *Al propietario y al ocupante del piso o local de negocio no les está permitido desarrollar en él o en el resto del inmueble actividades no permitidas en los Estatutos, que resulten dañosas para la finca o que contravengan las disposiciones generales sobre actividades molestas, insalubres, nocivas, peligrosas o ilícitas*».

86. ¿Qué diferencia existe entre los Estatutos y las Normas de Régimen Interior?

Básicamente las siguientes:

– Los Estatutos deberán aprobarse o modificarse por unanimidad; para las Normas es suficiente la mayoría.

– Los Estatutos pueden ser inscritos en el Registro de la Propiedad y tener validez frente a terceros, las Normas no.

– Los Estatutos pueden estar o no comprendidos en el Título Constitutivo, las Normas nunca.

– Los Estatutos están limitados por la Ley, las Normas por la Ley y por los Estatutos.

– Los Estatutos tienen un campo de aplicación más amplio que las Normas.

5. LA ESCRITURA, DOCUMENTO FUNDAMENTAL
– La cuota de participación
– Los Gastos Generales

87. **¿Qué datos debe contener la escritura? ¿es importante tener la escritura de la totalidad del inmueble, o con tener la de mi piso es suficiente?**

Hay dos tipos de «*escritura*», la individual correspondiente a su vivienda que le será entregada por el Notario en el momento en que acceda a la propiedad y en la que constará perfectamente descrito su piso, con su superficie, planta en la que se halla ubicado, número de puerta, lindes con propiedades adyacentes, acceso al mismo por el número de puerta del patio, la calle y sobre todo la cuota de participación.

La otra escritura, la global de todo el edificio, recibe el nombre de Título Constitutivo, o escritura pública de división horizontal de todo el inmueble, en la que deberá constar perfectamente descrito todo el edificio, junto al detalle de todas y cada una de las viviendas y locales existentes y sus respectivas cuotas de participación.

En ocasiones a este Título va unida la escritura de declaración de obra nueva.

Por todo lo expuesto es importante disponer además de la suya, de la escritura global de todo el edificio, para conocer, tanto el resto de las cuotas de participación, como las posibles exclusiones en el orden de gastos que se hayan podido suscribir en la declaración de obra nueva. Para ello habrá de acudir al Registro de la Propiedad de la zona o localidad donde se ubique su piso.

88.   ¿Para qué sirve la cuota de participación? ¿cómo se aplica?

La cuota de participación es un porcentaje que determina la parte que a cada copropietario le corresponde sobre el total de la edificación.

Así, si la cuota de participación de la vivienda de un copropietario es 2'37%, significa que de 100 partes que constituyen el todo de la comunidad, a él le corresponden 2'370 partes, a todos los niveles y efectos, esto es, en cuanto a derechos y deberes.

Esta referencia numérica es el elemento fundamental en la descripción de la vivienda, puesto que sirve «*para determinar la participación en las cargas y beneficios por razón de la Comunidad*» (art. 3.b LPH).

Por un lado, a la hora de repartir los gastos generados por la Comunidad (limpieza, mantenimiento, reparaciones, salarios, etc.) se pagarán en función de la cuota de participación y por otro, en el supuesto de destrucción del edificio, el copropietario tendrá derecho al solar en función de su cuota de participación, y al reparto de beneficios, si los hubiera, en función de dicha cuota.

Además la cuota de participación se tiene en cuenta a la hora de las votaciones (V. art. 17 LPH.): «*Para la validez de los demás acuerdos bastará el voto de la mayoría del total de los propietarios que, a su vez representen la mayoría de las cuotas de participación*».

Lo anteriormente expuesto tiene un carácter genérico. No obstante cabe que en algunas ocasiones la cuota de participación con la que se contribuye a los gastos sea diferente. Esto sucede cuando se exonera de determinados gastos a propietarios de pisos o locales. En este supuesto las cuotas de los demás se han de rectificar.

89.   Soy propietario de 2 pisos en distintos inmuebles; en uno de ellos, tengo clara cual es la cuota de participación, pues la escritura fija el 2% de la totalidad, sin embargo en la escritura del segundo, fija «*Tres enteros y veinticinco centésimas*», ¿cómo se interpreta esta cuota?

La expresión «Tres enteros y veinticinco centésimas» es lo mismo que decir 3'25%, en un lenguaje menos simplificado. La misma cantidad o expresión de la cuota podrá venir definida por «Tres enteros, dos décimas y cinco centésimas», significando exactamente lo mismo, que de 100 partes o enteros que es el total de la Comunidad, a Vd., por la propiedad de su vivienda, le corresponde una cuota de participación del 3'25%.

90. ¿Por qué se rectifican las cuotas de participación?

Las cuotas de participación asignadas en la escritura de propiedad y en el título constitutivo se refieren al porcentaje que le corresponde de la propiedad de la edificación y los elementos comunes.

Las cuotas de participación normalmente se rectifican a la hora de dividir los gastos generados por el mantenimiento de la Comunidad cuando hay determinadas propiedades que por el título constitutivo y declaración de obra nueva quedan exoneradas de alguno de esos gastos; normalmente son las plantas bajas.

Puesto que la totalidad del inmueble corresponde a 100 enteros, suponiendo que el total de las plantas bajas sumasen un 20% de las cuotas de participación, para calcular el gasto que debe pagarse por el resto de los copropietarios habrá que variar la cuota de participación con una sencilla regla de tres, ya que el total vendrá dado por la diferencia entre 100 y 20% libre de esos gastos, esto es un 80%. Ese 80% habrá que reconvertirlo en un 100% para saber lo que le corresponderá pagar a cada copropietario, lo que se verá mejor con un sencillo ejemplo:

Supongamos una comunidad de 16 viviendas y 2 plantas bajas. Cada vivienda tiene una cuota de participación del 5% y cada planta baja del 10%. Así

$$16 \text{ viviendas} \quad \times \quad 5\% \quad = \quad 80\%$$
$$2 \text{ plantas bajas} \quad \times \quad 10\% \quad = \quad 20\%$$
$$\text{Total} \quad 100\%$$

Si hay una serie de gastos que no deben pagar los propietarios de las plantas bajas, debe figurar en los Estatutos o escrituras (por ejemplo: luz de escalera, mantenimiento ascensor, limpieza patio-zaguán y escalera, etc.) esos gastos deberán abonarse por los propietarios de las 16 viviendas, con una cuota del 80%. Si la cuota no se rectificase, el importe de los gastos se vería mermado en un 20% por lo que debe procederse de la siguiente forma:

$$80 \qquad 100$$
$$5 \qquad\qquad X \qquad X = 100 . 5/80 = 6'25\%$$

La cuota de participación rectificada, para aquellos gastos que deban ser abonados exclusivamente por los propietarios de las viviendas será del 6'25%.

Eso no significa que la cuota de participación haya aumentado. Sólo sirve a los efectos del pago indicado.

Hay otro matiz totalmente distinto que podría derivarse de su pregunta. Podría entenderse que los propietarios consideran que las cuotas no se ajustan a la realidad y por unanimidad decidieran modificarlas, aunque el sentido de la pregunta sugiere más la primera parte de la respuesta.

91. Soy propietario de un bajo y en la escritura del mismo, fija que quedará exonerado de cualquier gasto producido por el zaguán, el ascensor y la terraza, pero sé que debo pagar el resto de los gastos de la Comunidad. ¿Qué cuota se debe aplicar a unos gastos y a otros, si la escritura fija una única cuota?

En su caso la cuota es única, la original fijada en la escritura, con cuyo porcentaje deberá Vd. hacer frente a los gastos que le corresponda pagar.

Otra cosa es el resto de los copropietarios que deben hacer frente a todos los gastos, para lo que deberán modificar su cuota de participación, exclusivamente para los gastos a los que Vd. (y los otros propietarios de los bajos si los hubiere) no debe hacer frente. La variación en la cuota de participación se calcula según el ejemplo de la pregunta anterior.

92. **En la Comunidad a la que pertenezco, desde siempre hemos pagado todos los gastos a partes iguales, ¿es correcta esta actuación?**

Esta situación, que se produce en Comunidades con muchos años de funcionamiento, y en las que la costumbre ha establecido una norma, o en aquellas de reciente creación que autogestionan su funcionamiento sin contar con Administrador de fincas colegiado da lugar, posteriormente, a muchos problemas.

Cabe también que en los Estatutos de la Comunidad, que deberán haber sido fijados por unanimidad de los propietarios, se contemple ésta forma de pago de los gastos generales, siempre que dichos Estatutos se firmaran antes de la entrada en vigor de la LPH o hubieran sido refrendados con posterioridad por todos los copropietarios, ya que su aplicación, hoy, contraviene el art. 9.1 e) de la LPH que establece entre las obligaciones de los copropietarios la de «*Contribuir con arreglo a la cuota de participación fijada en el título o a lo especialmente establecido, a los gastos generales para el adecuado sostenimiento del inmueble, sus servicios, cargas y responsabilidades que no sean susceptibles de individualización*».

Así pues, será correcta esa forma de pago si está fijada en los Estatutos y Vd. la ha aceptado. En caso contrario deberá proceder a denunciar el hecho, si la diferencia entre el pago a partes iguales y por cuota de participación es especialmente gravosa para Vd., teniendo en cuenta, además, que se está contraviniendo la legislación vigente en esta materia.

93. **¿Cómo se establecen las cuotas de participación?, ¿es posible modificarlas?**

Las cuotas de participación se establecen en virtud del art. 5 párrafo 2º de la LPH: «*En el mismo título* —refiriéndose al título constitutivo de la propiedad— *se fijará la cuota de participación que corresponda a cada piso o local, determinada por el propietario único del edificio al iniciar su venta por pisos, por acuerdo de todos los propietarios existentes, por laudo o por resolución judicial. Para su fijación se tomará como base la superficie útil de cada piso o local, en relación con el total del inmueble. Su emplazamiento interior o exterior, su situación y el uso que se presuma racionalmente que va a efectuarse de los servicios o elementos comunes».*

Es posible modificar las cuotas de participación. A tal efecto, el art. 3 b) LPH establece que la cuota atribuida sólo podrá variarse de acuerdo con lo establecido en los artículos 10 y 17 de esta Ley.

94. Dado que el piso que poseo no lo habito en todo el año, ¿tengo que pagar la reparación de los elementos comunes?

Taxativamente sí. Tanto las reparaciones como el mantenimiento de los mismos. El hecho de no utilizar su vivienda no le da el derecho de exclusión de dichos gastos, bajo ningún concepto (art. 9.2 LPH).

95. Si no vivo en mi piso, ¿tengo que pagar la limpieza?, ¿estoy obligado a efectuarla?

Se entiende la limpieza de los elementos comunes y consiguientemente debe de pagar en función de su cuota de participación, ya que se trata de un mantenimiento para que la Comunidad reúna las mínimas condiciones higiénico-sanitarias y de decoro (art. 9.2 LPH).

96. El vecino de arriba se dejó el grifo abierto y me estropeó el falso techo de escayola y parte de las paredes, ¿debe pagarlo él o la Comunidad?

Al tratarse de un grifo es un elemento perteneciente a la instalación privativa de su vecino. La negligencia incumbe exclusivamente a su vecino y será él quien deba correr con el gasto de los desperfectos ocasionados. Recordemos que nuestro Código Civil establece, para quien por acción u omisión causa daño a otro, la obligación de reparar el daño causado.

97. **¿Deben contribuir los bajos a los gastos de limpieza de zaguán y ascensor aunque no tengan salida al zaguán y nunca usen el servicio de ascensor?**

Salvo que los Estatutos o el título constitutivo establezcan lo contrario, los bajos deben participar en proporción a su cuota de participación en los gastos generales, incluidos patio y ascensor y ello con independencia del uso y de que tengan, o no, acceso directo a los mismos.

98. **¿Es posible liberar a un propietario del abono de determinados gastos, como por ejemplo a los bajos, del pago del ascensor?**

Así es, pero para ello se necesitaría, generalmente el acuerdo unánime de la Junta de copropietarios.

Reiterada jurisprudencia admite la posibilidad de excluir de pago de algunos gastos generales a determinados propietarios, ya de pisos, ya de locales comerciales, siempre y cuando dicha exclusión o exención aparezca en el título constitutivo, o en los Estatutos de la Comunidad, o mediante acuerdo adoptado por unanimidad.

Respecto a la exención del pago de los ascensores en la actualidad existe cierta controversia respecto al quórum necesario. Parte de la doctrina entiende que dicha exención debe catalogarse como una modificación estatutaria y por lo tanto, por la vía del artículo 17.6, exigir un acuerdo unánime. Sin embargo, la **SAP de Madrid de 13-12-2014** *(Tol 4136870)* considera suficiente la mayoría.

99. **Desearía tener una copia del Título Constitutivo del inmueble donde vivo, pero el Notario se ha jubilado y no sé donde acudir. ¿Qué puedo hacer al respecto?**

Para obtener una copia del Título Constitutivo puede usted acudir al Registro de la Propiedad que le corresponda según la zona donde se ubique la finca. No obstante, si desea obtener esa información del Notario, deberá dirigirse al Colegio Notarial de su ciudad y en el Archivo de Protocolos será debidamente informado del Notario que en la actualidad se está haciendo cargo de la citada documentación.

100. ¿Es posible que dos pisos de igual tamaño, de una misma finca, tengan cuotas de participación distintas?

Sí, pues la superficie útil de los distintos pisos y locales no es la única consideración a tener en cuenta a la hora de fijar la cuota de participación, debiendo valorarse también, a tenor de lo establecido en el art. 5 de la LPH, «*el emplazamiento interior o exterior, su situación y el uso que se presuma racionalmente que va a efectuarse de los servicios o elementos comunes*».

6. ELEMENTOS PRIVATIVOS Y COMUNES

101. ¿Qué son los elementos comunes?

Los elementos comunes del edificio son todos los necesarios para su adecuado uso y disfrute, tales como el suelo, vuelo, cimentaciones, cubiertas; elementos estructurales y entre ellos los pilares, vigas, forjados y muros de carga; las fachadas, con los revestimientos exteriores de terrazas, balcones y ventanas, incluyendo su imagen y configuración, los elementos de cierre que las conforman y sus revestimientos exteriores; el portal, las escaleras, porterías, corredores, pasos, muros, fosos, patios, pozos y los recintos destinados a ascensores, depósitos, contadores, telefonías u otros servicios o instalaciones comunes, incluso aquellos que fueren de uso privativo; los ascensores y las instalaciones, conducciones y canalizaciones para el desagüe y para el suministro de agua, gas o electricidad, incluso las de aprovechamiento de energía solar; las de agua caliente sanitaria, calefacción, aire acondicionado, ventilación o evaporación de humos; las de detección y prevención de incendios; las de portero electrónico y otras de seguridad del edificio, así como las de antenas colectivas y demás instalaciones para los servicios audiovisuales o de telecomunicación, todas ellas hasta la entrada al espacio privativo; las servidumbres y cualesquiera otros elementos materiales o jurídicos que por su naturaleza o destino resulten indivisibles.

102. ¿Qué tipo de elementos comunes existen?

Básicamente los podíamos clasificar en cinco grandes bloques:

1.- Elementos físicos, estructurales y constructivos comunes; ejemplo de los mismos podrían ser: el suelo, cimentaciones, pasos, patios, muros, cubiertas etc.

2.- Instalaciones y conducciones generales: desagües generales, instalación eléctrica general, instalación de la antena colectiva, etc.

3.- Locales y espacios comunitarios: local social, portería, espacios deportivos comunitarios, etc.

4.- Servidumbres.

5.- Cualquier elemento material o jurídico que por su naturaleza o destino resulte indivisible.

103. ¿Qué son los elementos privativos?

Siguiendo la dicción del art. 396 del CC podíamos definirlos como «*Los diferentes pisos o locales de un edificio o las partes de ellos susceptibles de aprovechamiento independiente por tener salida propia a un elemento común de aquel o a la vía pública...*».

Cada propietario dispone de su derecho sobre su parte privativa, derecho limitado por la obligación que tiene de mantenerla en buen estado de conservación y de permitir la entrada en la misma al objeto de efectuar las reparaciones y obras de conservación en los elementos comunes y en el resto de las privativas.

104. En un patio de luces de la finca, que en el Título Constitutivo consta como elemento común, y al que mi piso no tiene acceso, se rompió una bajante de aguas. ¿Es cierto que tengo que contribuir a la reparación aunque no utilice la citada instalación?

Las canalizaciones para el desagüe tienen la condición de elemento común, por tanto, en cumplimiento del art. 9.1 e) de la LPH, Vd. tiene obligación de contribuir, con arreglo a su cuota de participación fijada en el título o lo especialmente establecido, a los gastos generales para el adecuado sostenimiento del inmueble, sus servicios, cargas y responsabilidades que no sean susceptibles de individualización.

Asimismo, el artículo 9.2 regula que la no utilización de un servicio común no puede eximir del cumplimiento de las obligaciones correspondientes. Como ejemplo podríamos citar que, aunque su vivienda se encontrara situada en el primer piso del inmueble, Vd. tendría obligación de contribuir a los gastos de reparación de la cubierta de la finca, dada su condición de elemento común, a pesar de que, obviamente, no le afecte directamente.

105. ¿Qué son las canalizaciones para el desagüe?

Las canalizaciones para el desagüe son conductos destinados a transportar en su interior residuos sólidos y líquidos y tienen la condición de elementos comunes, tal como regula el art. 396 del CC. Otros aspectos que las caracterizan son que, como norma general, se convierten en privativas al introducirse en cada piso o local y que para variar su ubicación originaria necesitan el permiso unánime de la Comunidad, excepto si tal variación se realiza atendiendo al interés general de los vecinos. En tal caso, bastará acuerdo mayoritario de las tres quintas partes de los propietarios que, a su vez, representen las tres quintas partes de las cuotas de representación. Además hay que tener presente que la LPH dispone que no podrán realizarse innovaciones que hagan inservible alguna parte del edificio para el uso y disfrute de un propietario, si no consta su consentimiento expreso.

Ejemplo de canalizaciones para el desagüe podrían ser las bajantes de aguas fecales.

106. Cuando se dice que la red de desagüe y saneamiento son elementos comunes ¿quiere decir que las reparaciones producidas en el sanitario de mi vivienda tiene que pagarlas la Comunidad?

No, ya que, como norma general, y tal como regula el art. 396 CC, son elementos comunes «...*todas ellas hasta la entrada al espacio privativo*», por lo que las reparaciones a las que hace Vd. mención correrán, exclusivamente, a su cargo.

107. Entonces el empalme que sale de mi piso hasta la bajante general ¿es privado o común?

De la nueva redacción de la LPH y de la mayoría de las sentencias de los Tribunales, parece desprenderse que los citados empalmes o codos, son un elemento común cuya reparación será a cargo de la Comunidad, salvo que la causa de la avería fuera originada por dolo o negligencia del propietario en cuestión, por ejemplo, al haber arrojado objetos que hayan motivado el desperfecto.

108. ¿La red de cañerías que suministra agua potable a las viviendas es común o privativa?

A tenor de lo regulado por el art. 396 del CC, las canalizaciones tienen la condición de elemento común, hasta que penetran en los distintos pisos y locales y se transforman en privativas.

No obstante dado que existen instalaciones de agua potable que, partiendo de la acometida general atraviesan su correspondiente contador y suministran agua de forma individualizada a los distintos pisos y locales, habría que consultar el Título Constitutivo para saber la naturaleza de tales elementos.

109. Los contadores de agua, ¿son elementos comunes o privativos?

Como norma general son elementos privativos, ya que son contratados por cada propietario de forma privada e individual con la compañía suministradora.

Un caso contrario se produciría en aquellas ocasiones en que la Comunidad necesita abastecimiento de agua en algún local común, como la portería o los locales sociales, y contrata, a través de su Presidente o representante, la correspondiente instalación.

110. ¿Es posible vender un elemento común?

Sí, pero como afecta al título constitutivo, el acuerdo se habría de adoptar por unanimidad, en virtud del artículo 17.6 LPH.

111. ¿Son las fachadas elementos comunes?

Las fachadas son elementos comunes según lo establecido en el art. 396 CC, por lo tanto, para cualquier modificación que les afecte habrán de tenerse en cuenta las reglas de la unanimidad o mayoría que establece la ley.

Así, a modo de ejemplo, tras la última reforma de la LPH, se ha flexibilizado el régimen de mayorías para permitir el cerramiento de terrazas. El artículo 10.3.b LPH establece que:

3. Requerirán autorización administrativa, en todo caso:

b) Cuando así se haya solicitado, previa aprobación por las tres quintas partes del total de los propietarios que, a su vez, representen las tres quintas partes de las cuotas de participación,...

... y cualquier otra alteración de la estructura o fábrica del edificio, *incluyendo el cerramiento de las terrazas* y la modificación de la envolvente para mejorar la eficiencia energética, o de las cosas comunes, cuando concurran los requisitos a que alude el artículo 17.6 del texto refundido de la Ley de Suelo, aprobado por el Real Decreto Legislativo 2/2008, de 20 de junio.

112. ¿Puede poner un ejemplo de actuaciones que, por modificar la fachada necesiten el permiso de la Comunidad para la realización de las mismas?

Como norma general se puede decir que son todas aquellas que modifican tanto la configuración originaria de la fachada como la imagen y, entre las más comunes, podemos citar:

– Acristalamiento de balcones e instalación de galerías metálicas, ya que suponen una alteración estética de importancia.

– Apertura de nuevas ventanas o traslado de las existentes.

– Perforación del muro de la fachada para la instalación de aparatos de aire acondicionado.

– Colocación de letreros profesionales o publicitarios (con las salvedades que pudiera contener el título constitutivo o los estatutos).

113. Si necesito el permiso de la Comunidad para acristalar el balcón, ¿Quiere esto decir que es un elemento común?

El balcón es un elemento común en virtud del artículo 396 CC, por tanto, para acristalarlo necesita el consentimiento de la Comunidad.

114. ¿Es necesaria la unanimidad para poder instalar un ascensor?

Según el artículo 17.2 LPH, y sin perjuicio de lo establecido en el artículo 10.1 b), la realización de obras o el establecimiento de nuevos servicios comunes que tengan por finalidad la supresión de barreras arquitectónicas que dificulten el acceso o movilidad de personas con discapacidad y, en todo caso, el establecimiento de los servicios de ascensor, incluso cuando impliquen la modificación del título constitutivo, o de los estatutos, *requerirá el voto favorable de la mayoría de los propietarios, que, a su vez, representen la mayoría de las cuotas de participación*.

115. ¿Qué ocurre en el supuesto de que una persona con discapacidad, solicite la instalación de un ascensor o la supresión de una barrera arquitectónica?

El procedimiento por el que una persona con discapacidad, o mayor de setenta años, puede promover una acción para suprimir barreras arquitectónicas, en una comunidad de propietarios sujeta a la LPH, se puede concretar en tres vías distintas:

A) Instar a la comunidad a realizar y sufragar obras cuyo importe no exceda de doce mensualidades de gastos comunes (una vez descontadas las subvenciones o ayudas públicas):

El artículo 10.1.b establece que (el subrayado es nuestro):

1. Tendrán carácter obligatorio y no requerirán de acuerdo previo de la Junta de propietarios, impliquen o no modificación del título constitutivo o de los estatutos, y vengan impuestas por las Administraciones Públicas o solicitadas a instancia de los propietarios, las siguientes actuaciones:

b) Las obras y actuaciones que resulten necesarias para garantizar los ajustes razonables en materia de accesibilidad universal y, en todo caso, las requeridas a instancia de los propietarios en cuya vivienda o local vivan, trabajen o presten servicios voluntarios, personas con discapacidad, o mayores de setenta años, con el objeto de asegurarles un uso adecuado a sus necesidades de los elementos comunes, así como la instalación de rampas, ascensores u otros dispositivos mecánicos y electrónicos que favorezcan la orientación o su comunicación con el exterior, siempre que el importe repercutido anualmente de las mismas, una vez descontadas las subvenciones o ayudas públicas, no exceda de doce mensualidades ordinarias de gastos comunes. No eliminará el carácter obligatorio de estas obras el hecho de que el resto de su coste, más allá de las citadas mensualidades, sea asumido por quienes las hayan requerido.

Si las obras superan doce mensualidades ordinarias de gastos comunes, seguirán siendo obligatorias estas obras si el resto de su coste, más allá de las citadas mensualidades, se asume por quien las haya requerido.

B) Si las obras superan las doce mensualidades ordinarias de gastos comunes y quienes las instan, no asumen el resto de su coste, se puede intentar promover acuerdo de la junta de la comunidad, de al menos la mayoría de propietarios y cuotas de participación.

Si se adoptará dicho acuerdo vinculará a todos los propietarios, incluidos los disidentes.

En ese sentido el art. 17.2 establece que:

«2. Sin perjuicio de lo establecido en el artículo 10.1 b), la realización de obras o el establecimiento de nuevos servicios comunes que tengan por finalidad la supresión de barreras arquitectónicas que dificulten el acceso o movilidad de personas con discapacidad y, en todo caso, el establecimiento de los servicios de ascensor, incluso cuando impliquen la modificación del título constitutivo, o de los estatutos, requerirá el voto favorable de la mayoría de los propietarios, que, a su vez, representen la mayoría de las cuotas de participación.

Cuando se adopten válidamente acuerdos para la realización de obras de accesibilidad, la comunidad quedará obligada al pago de los gastos, aun cuando su importe repercutido anualmente exceda de doce mensualidades ordinarias de gastos comunes».

C) El interesado puede obligar a la comunidad a consentir la realización de obras de accesibilidad a través del procedimiento previsto en la Ley 15/1995 sobre límites del dominio sobre inmuebles para eliminar barreras arquitectónicas a las personas con discapacidad.

Es este caso será el interesado el que asuma el coste de las mismas, debiendo notificar a la comunidad la necesidad de ejecutar las obras y si ésta comunica, en el plazo de 60 días su oposición, el interesado podrá acudir a la jurisdicción civil para defender su pretensión.

116. La terraza que sirve de cubierta al edificio sólo es accesible por el piso de la última planta, por lo que únicamente la disfruta el dueño del citado piso. ¿Quién tiene que pagar el mantenimiento y las reparaciones de la terraza?

La cubierta del edificio, tal como recoge el art. 396 del CC, constituye un elemento común, por lo que en nuestro ordenamiento es obligación de todo comunero contribuir al mantenimiento de las mismas, aunque sean de disfrute privado.

Caso distinto sería que los desperfectos de la cubierta hubieran sido causados por mal uso o negligencia del propietario que la disfruta (grietas producidas al haber perforado indebidamente el suelo de la terraza, humedades generadas por acumulación de macetas, etc.) en cuyo caso y a tenor del art. 9 de la LPH, el propietario en cuestión deberá correr con la totalidad de los gastos de la reparación.

117. Si la cubierta del edificio es un elemento común, ¿es posible que en el Título Constitutivo figure que un determinado piso tenga el derecho de uso exclusivo sobre parte de la misma?

Podría ser, pues el uso de determinados elementos comunes puede circunscribirse en el título constitutivo a determinados propietarios, siempre y cuando no tengan la cualidad de ser «*esenciales*», para el resto de copropietarios y para el ejercicio de su derecho de propiedad.

118. ¿Qué son los anejos?

Los cita el art. 3. a) de la LPH y son espacios arquitectónicos tales como trasteros, garajes, buhardillas y sótanos, separados de un piso o local y que, aunque se pueden aprovechar de forma independiente, pertenecen al mismo propietario, formando parte del mismo Título Constitutivo.

119. ¿Puede el propietario de los bajos efectuar excavaciones en su local para construirse un sótano?

Tal como establece el art. 396 CC, el suelo constituye un elemento común, por lo que el propietario de la planta baja no podrá modificar a su conveniencia el citado elemento sin un permiso unánime del resto de los comuneros.

120. El dueño de la planta baja tiene intención de abrir un bar en la misma y pretende instalar una tubería, para la salida de humos de la cocina, que atravesaría el patio interior de la Comunidad. ¿Podemos negarnos a la instalación?

En principio, la alteración de un elemento común, que no modificara el título constitutivo o los estatutos, requeriría un acuerdo de las tres quintas partes de propietarios y cuotas, al haberse flexibilizado el requisito de la unanimidad, sin perjuicio de que no podrán realizarse innovaciones que hagan inservible alguna parte del edificio para el uso y disfrute de un propietario, si no consta su consentimiento expreso (art. 17.4° LPH).

Antes de denegar cualquier solicitud hay que estudiar muy bien si la eventual modificación va a causar algún tipo de perjuicios a la Comunidad, pues si no es así y nuestra negativa carece de fundamento, podemos estar incurriendo en un abuso de derecho, ya que tal como establece el art. 7.1 del CC, «*Los derechos deberán ejerci-*

tarse conforme a las exigencias de la buena fe», aunque el Tribunal Supremo, en algunas sentencias, ha entendido que la negativa a modificar un elemento común no supone un abuso de derecho ya que es plenamente legítimo y en ningún modo excesivo o anormal, el interés de determinados propietarios de un edificio en oponerse a que se alteren los elementos comunes de un edificio.

Como Administradores de Fincas siempre hemos defendido que los actos de las Comunidades de Propietarios deben de estar suficientemente razonados y que cualquier acuerdo, sea de la índole que sea, debe justificarse suficientemente no limitándose a la invocación general de un precepto.

121. Soy una persona con diversidad funcional y he pedido permiso a la Comunidad para poder construir, en el portal, una pequeña rampa que permita el acceso de mi silla de ruedas, pero hay un propietario que se niega alegando que la misma reduciría el paso del portal. ¿Es cierto que no puedo instalar la rampa dado que no hay unanimidad y que la modificación implica a un elemento común?

No es cierto, ya que el artículo 17.2 LPH establece que para la supresión de barreras arquitectónicas, a favor de personas con discapacidad, requerirá el acuerdo del voto favorable de la mayoría de los propietarios, que, a su vez, representen la mayoría de las cuotas de participación.

Cuando se adopten válidamente acuerdos para la realización de obras de accesibilidad, la comunidad quedará obligada al pago de los gastos, aun cuando su importe repercutido anualmente exceda de doce mensualidades ordinarias de gastos comunes.

122. Soy radioaficionado y quiero instalar una antena en el terrado, ¿necesito para ello el permiso unánime de la Comunidad?

No, esta es una excepción, a la exigencia de unanimidad, para la modificación de un elemento común.

La Ley 19/1983 sobre antenas de estaciones radioeléctricas de aficionado, establece que quienes estando legitimados para usar de la totalidad o parte de un inmueble y hayan obtenido la autorización reglamentaria pertinente para el montaje de una instalación radioeléctrica de aficionados, podrán instalar, por su cuenta, en el exterior de los edificios que usen, antenas para la transmisión y recepción de emisiones.

El artículo 2° del citado Cuerpo Legal atribuye a la Comunidad de Propietarios los derechos que el art. 545.2° del CC reconoce a los Propietarios del Predio Sirviente, bastando para su ejercicio la decisión tomada por mayoría simple.

123. Si para instalar un aire acondicionado en mi piso he de abrir un hueco en el muro que da a la calle, ¿tengo que pedir permiso a la Comunidad?

Sí, pues a tenor de lo regulado por el art. 396 del CC, los muros tienen la condición de elementos comunes y no pueden entenderse en forma alguna como de propiedad privada.

124. ¿Puede el vecino del primer piso construirse un cuarto trastero en el patio interior de la finca?

Para contestar a esa pregunta habría que leer detenidamente el Título Constitutivo del inmueble y comprobar si el citado patio pudiera tener la condición de privativo.

Si el Título de Constitución no dijera nada al respecto, habría que considerarlo un elemento común, acogiéndonos al criterio que el Tribunal Supremo ha manifestado en reiteradas ocasiones basándose en la misión arquitectónica y funcional de los patios interiores y por la presunción legal que establece el art. 396 del CC.

Si una vez realizadas las correspondientes consultas y comprobaciones resultara que el patio en cuestión es de naturaleza común, para cualquier actuación que modificara el mismo, se precisaría del permiso de la Comunidad.

125. Vivo en un primer piso al que es muy fácil acceder a través de sus ventanas, por lo que, por motivos de seguridad, he decidido instalar rejas. ¿Tengo obligación de pedir permiso a la Comunidad?

Así es ya que, como hemos manifestado en reiteradas ocasiones, la fachada es un elemento común y no puede alterarse, aún alegando cuestiones de seguridad, sin el permiso del resto de la Comunidad.

Cosa distinta es que Vd. colocara las rejas en el interior de su vivienda, acto para el cual no necesitaría permiso alguno de la Comunidad.

126. Queremos instalar una puerta mecánica en el garaje, dada la incomodidad que genera la puerta manual de que disponemos en la actualidad. ¿Se requiere la unanimidad para la instalación de dicha puerta por modificar los elementos comunes?

Entendemos que la última reforma introducida en la LPH, parece flexibilizar el requisito de la unanimidad; así el art. 10.3 de la LPH establece que (el subrayado es nuestro):

3. Requerirán autorización administrativa, en todo caso:

b) Cuando así se haya solicitado, previa aprobación por las tres quintas partes del total de los propietarios que, a su vez, representen las tres quintas partes de las cuotas de participación, la división material de los pisos o locales y sus anejos, para formar otros más reducidos e independientes; el aumento de su superficie por agregación de otros colindantes del mismo edificio o su disminución por segregación de alguna parte; la construcción de nuevas plantas y <u>cualquier otra alteración de la estructura o fábrica del edificio</u>, incluyendo el cerramiento de las terrazas y la modificación de la envolvente para mejorar la eficiencia energética, o de las cosas comunes, cuando concurran los requisitos a que alude el artículo 17.6 del texto refundido de la Ley de Suelo, aprobado por el Real Decreto Legislativo 2/2008, de 20 de junio.

En estos supuestos deberá constar el consentimiento de los titulares afectados y corresponderá a la Junta de Propietarios, de común acuerdo con aquéllos, y por mayoría de tres quintas partes del total de los propietarios, la determinación de la indemnización por daños y perjuicios que corresponda. La fijación de las nuevas cuotas de participación, así como la determinación de la naturaleza de las obras que se vayan a realizar, en caso de discrepancia sobre las mismas, requerirá la adopción del oportuno acuerdo de la Junta de Propietarios, por idéntica mayoría. A este respecto también podrán los interesados solicitar arbitraje o dictamen técnico en los términos establecidos en la Ley.

7. OBRAS DE REPARACIÓN Y MEJORA
– Quién debe pagarlas y en qué proporción

127. Dado que es obligatorio pagar las obras de reparación ordinarias y las de reparación extraordinarias ¿En qué consisten unas y otras y en qué se diferencian de las obras urgentes?

Las obras de reparación ordinarias son aquellas necesarias para reparar los desperfectos causados por el uso habitual del inmueble.

El art. 14.c) LPH establece que corresponde a la Junta de Propietarios «*aprobar los presupuestos y la ejecución de todas las obras de reparación de la finca, sean ordinarias o extraordinarias y ser informada de las medidas urgentes adoptadas por el Administrador de conformidad con lo dispuesto en el artículo 20 c)*».

Las obras de reparación extraordinarias son aquellas necesarias para reparar desperfectos que no han sido provocados por un uso regular o habitual en las instalaciones. Como ejemplo cabe citar los daños causados por inundaciones, accidentes, reparaciones de daños en la estructura causados por defectos de construcción; la ejecución de las mismas debe aprobarse por la Junta (art. 14.c y 20.c LPH).

Las obras de reparación urgentes son aquellas que por su imperiosa necesidad de ser abordadas, serán ordenadas por el Administrador en el uso habitual de sus funciones y de acuerdo con el art. 20 c) LPH.

El Administrador podrá ordenar la realización de cualquier reparación que considere urgente para la conservación y entretenimiento del inmueble, con el único condicionamiento de dar cuenta inmediata al Presidente, o, en su caso, a los propietarios.

128. Las citadas obras de reparación ¿se deben de pagar por partes iguales?

Los gastos comunes, sean del tipo que sean, deben abonarse tal como regula el artículo 9.1e) de la LPH (salvo que los Estatutos especificaran otra cosa, o existiese acuerdo unánime en contrario), con arreglo a la cuota de participación fijada en el título y que no necesariamente tiene que ser igual para todos los copropietarios.

Al respecto, el art. 10.2.c LPH establece que los pisos o locales quedarán afectos al pago de los gastos derivados de la realización de dichas obras o actuaciones en los mismos términos y condiciones que los establecidos en el artículo 9 para los gastos generales.

No obstante es posible que se acuerde una distribución de los gastos que ocasionan las obras que no se corresponda con las respectivas cuotas de participación. Para ello sería necesario que la Junta, convocada de conformidad con el art. 16 LPH, lo aprobara por unanimidad y sin perjuicio de lo establecido en los arts. 17 y 18 LPH, por los cuales los propietarios ausentes, debidamente citados e informados posteriormente del acuerdo adoptado por los presentes, no manifiesten su discrepancia comunicándola, en el plazo de treinta días naturales, a quien ejerza las funciones de Secretario de la comunidad.

Además, el propietario disidente, en el supuesto de que, manifestada su disconformidad de forma fehaciente, no fuera atendido, debería impugnar ante los Tribunales, de conformidad con lo establecido por la legislación procesal general y el art. 18 de la presente ley, el citado acuerdo, disponiendo del plazo de un año para ejercitar la acción si la decisión adoptada por la Junta fuera un acto contrario a la ley o a los Estatutos.

129. ¿Podría acordarse otra forma de pago que no fuera en relación a la cuota de participación?

Ciertamente, pero para ello sería necesario que la Junta lo aprobara por unanimidad, es decir, que todos los propietarios estuvieran de acuerdo.

130. **Si la Junta no aprobara unas reparaciones en un elemento común que son de importancia y que me afectan como propietario, ¿cómo debo proceder?**

Una negativa infundada a reparar un elemento común sería un acuerdo contrario a lo establecido en la LPH y, tal como establece el citado texto legal en su art. 18.1.a), son impugnables ante los Tribunales los acuerdos *«contrarios a la Ley o los Estatutos de la comunidad del propietarios».*

Prosigue el citado artículo estableciendo que (el subrayado es nuestro): *«Estarán legitimados para la impugnación de estos acuerdos los propietarios que hubiesen salvado su voto en la Junta, los ausentes por cualquier causa y los que indebidamente hubiesen sido privados de su derecho de voto. Para impugnar los acuerdos de la Junta el propietario deberá estar al corriente en el pago de la totalidad de las deudas vencidas con la comunidad o proceder previamente a la consignación judicial de las mismas. Esta regla no será de aplicación para la impugnación de los acuerdos de la Junta relativos al establecimiento o alteración de las cuotas de participación a que se refiere el artículo 9 entre los propietarios.*

3. La acción caducará a los tres meses de adoptarse el acuerdo por la Junta de propietarios, <u>salvo que se trate de actos contrarios a la ley o a los estatutos, en cuyo caso la acción caducará al año. Para los propietarios ausentes dicho plazo se computará a partir de la comunicación del acuerdo conforme al procedimiento establecido en el artículo 9</u>».

La nueva redacción de la LPH ha reforzado la obligación de las comunidades de hacer frente a las obras necesarias. No en vano el artículo 10.1 establece que tendrán carácter obligatorio *y no requerirán de acuerdo previo de la Junta de propietarios,* impliquen o no modificación del título constitutivo o de los estatutos, y vengan impuestas por las Administraciones Públicas o solicitadas a instancia de los propietarios, determinadas actuaciones inherentes al buen mantenimiento del inmueble y sus instalaciones, como son los trabajos y las obras que resulten necesarias para el adecuado mantenimiento y cumplimiento del deber de conservación del inmueble y de sus servicios e instalaciones comunes, incluyendo en todo caso, las necesarias para satisfacer los requisitos básicos de seguridad, habitabilidad y accesibilidad universal, así como las condiciones de ornato y cualesquiera otras derivadas de la imposición, por parte de la Administración, del deber legal de conservación.

131. En mi Comunidad se aprobó en Junta, pintar las paredes y arreglar el suelo del zaguán, ya que, debido al paso de los años, se encuentran en mal estado. El dueño de los bajos se niega a contribuir a la obra ya que su local no tiene puerta o acceso a la escalera. ¿Tiene obligación de contribuir a las obras?

La no utilización de un elemento común, no exime a ningún propietario de tener que contribuir al pago de las obras de reparación o mantenimiento. Por ello se deberá contribuir en la parte que se fije en la cuota de participación.

El art. 9.2 LPH establece que para la aplicación de las reglas relativas a la obligación de contribuir, se reputarán generales los gastos que no sean imputables a uno o varios pisos o locales, sin que la no utilización de un servicio exima del cumplimiento de las obligaciones correspondientes, sin perjuicio de lo establecido para la realización de innovaciones no exigibles, de acuerdo con el art. 17. 4 de la LPH.

Ahora bien, nuestro consejo es que, antes de entrar en inútiles discusiones que rompen la armonía de la comunidad, se estudien detenidamente las escrituras y los Estatutos si los hubiere, así como el libro de actas de la junta de propietarios, para determinar si existe algún tipo de exoneración o de reparto distinto para determinados casos y locales. En caso de inexistencia de este tipo de cláusulas, todos los copropietarios deberán abonar las obras de reparación de los elementos comunes, tanto si los usan como si no y, aunque no tengan acceso directo a los mismos, como podría resultar en el supuesto de unos bajos que no tengan acceso al portal.

132. ¿Qué son las obras de innovación?

Son aquellas obras a las que hacía mención la LPH en su art. 11 y que, tras la reforma de 2013 quedaron encuadradas en el art. 17.4:

«4. Ningún propietario podrá exigir nuevas instalaciones, servicios o mejoras no requeridos para la adecuada conservación, habitabilidad, seguridad y accesibilidad del inmueble, según su naturaleza y características.

No obstante, cuando por el voto favorable de las tres quintas partes del total de los propietarios que, a su vez, representen las tres quintas partes de las cuotas de participación, se adopten válidamente acuerdos, para realizar innovaciones, nuevas instalaciones, servicios o mejoras no requeridos para la adecuada conservación, habitabilidad, seguridad y accesibilidad del inmueble, no exigibles y cuya cuota de instalación exceda del importe de tres mensualidades ordinarias de gastos comunes, el disidente no resultará obligado, ni se modificará su cuota, incluso en el caso de que no pueda privársele de la mejora o ventaja. Si el disidente desea, en cualquier tiempo, participar de las ventajas de la innovación, habrá de abonar su cuota en los gastos de realización y mantenimiento, debidamente actualizados mediante la aplicación del correspondiente interés legal.

No podrán realizarse innovaciones que hagan inservible alguna parte del edificio para el uso y disfrute de un propietario, si no consta su consentimiento expreso».

En un sentido amplio, las innovaciones se identifican con las mejoras.

133. ¿Qué clases de obras de innovación pueden darse?

Pueden ser de dos tipos, dependiendo que sean o no necesarias para la adecuada conservación, habitabilidad y seguridad del inmueble.

a) Cuando son necesarias para la adecuada conservación, habitabilidad y seguridad del inmueble, pueden ser exigidas por cualquier propietario. Este tipo de obras se suelen dar en las fincas antiguas con instalaciones obsoletas. Un ejemplo podría ser la sustitución de las conducciones de suministros como agua, gas o electricidad cuando la actual haya quedado anticuada y no preste un servicio óptimo, o bien, cuando por disposición legal, tiene que adaptarse a las nuevas exigencias técnicas.

b) Las obras de innovación que no sean necesarias para la adecuada conservación, habitabilidad y seguridad del inmueble no pueden ser exigidas por ningún propietario, es más, si se aprobara por Junta la realización de las mismas y una parte de los propietarios no estuviese de acuerdo, podrían negarse a pagar su parte proporcional.

Excepción a lo expresado en el apartado anterior se daría en el caso de que la cuota de instalación de una obra de innovación no superara el importe de tres mensualidades ordinarias de gastos comunes, en cuyo caso sería obligatoria a tenor de lo regulado en el art. 17.4 de la LPH.

Respecto a la disconformidad de contribuir a las obras de innovación, la LPH en su artículo 17.4 regula que no es obligatorio el pago de mejoras no requeridas para la adecuada conservación, habitabilidad y seguridad de inmueble, según su naturaleza y características, aún en el caso de que no pueda privarse de su uso o ventaja al propietario que no las ha abonado. Así, siguiendo la dicción literal del art. 17.4 LPH: Ningún propietario podrá exigir nuevas instalaciones, servicios o mejoras no requeridos para la adecuada conservación, habitabilidad, seguridad y accesibilidad del inmueble, según su naturaleza y características.

No obstante, cuando por el voto favorable de las tres quintas partes del total de los propietarios que, a su vez, representen las tres quintas partes de las cuotas de participación, se adopten válidamente acuerdos, para realizar innovaciones, nuevas instalaciones, servicios o mejoras no requeridos para la adecuada conservación, habitabilidad, seguridad y accesibilidad del inmueble, no exigibles y cuya cuota de instalación exceda del importe de tres mensualidades ordinarias de gastos comunes, el disidente no resultará obligado, ni se modificará su cuota, *incluso en el caso de que no pueda privársele de la mejora o ventaja.*

Si no se contribuyó a la instalación de una innovación y posteriormente se desea participar de sus ventajas, se podrá hacer, siempre y cuando se abone la cuota en los gastos de realización y mantenimiento actualizados a la fecha de su disfrute, con los intereses legalmente estipulados desde la fecha de instalación. El artículo 17.4 LPH establece: «*Si el disidente desea, en cualquier tiempo, partici-*

par de las ventajas de la innovación, habrá de abonar su cuota en los gastos de realización y mantenimiento, debidamente actualizados mediante la aplicación del correspondiente interés legal».

Respecto a las obras de accesibilidad, el art. 10.1.b LPH establece que serán obligatorias las obras y actuaciones que resulten necesarias para garantizar los ajustes razonables en materia de accesibilidad universal y, en todo caso, las requeridas a instancia de los propietarios en cuya vivienda o local vivan, trabajen o presten servicios voluntarios, personas con discapacidad, o mayores de setenta años, con el objeto de asegurarles un uso adecuado a sus necesidades de los elementos comunes, así como la instalación de rampas, ascensores u otros dispositivos mecánicos y electrónicos que favorezcan la orientación o su comunicación con el exterior, siempre que el importe repercutido anualmente de las mismas, una vez descontadas las subvenciones o ayudas públicas, no exceda de doce mensualidades ordinarias de gastos comunes. No eliminará el carácter obligatorio de estas obras el hecho de que el resto de su coste, más allá de las citadas mensualidades, sea asumido por quienes las hayan requerido.

A pesar de todo lo anteriormente expuesto, debe tenerse en cuenta que si existe alguna nueva instalación, servicio o mejora, no necesaria para a adecuada conservación, habitabilidad y seguridad del inmueble que hagan inservible alguna parte del edificio para el uso y disfrute de un propietario, tal y como puntualiza el propio art. 17.4º LPH en su último inciso, deberá constar el consentimiento expreso del propietario afectado.

134. La Junta de la Comunidad aprobó la instalación de una antena parabólica para ver más canales privados. No estoy de acuerdo con esa decisión. ¿Estoy obligado a pagar mi parte proporcional de esa obra?

No, dado que el art. 17.1 LPH establece que, estos casos, que la instalación de las infraestructuras comunes para el acceso a los servicios de telecomunicación regulados en el Real Decreto-ley 1/1998, de 27 de febrero, sobre infraestructuras comunes en los edificios para el acceso a los servicios de telecomunicación, o la adaptación de los existentes, así como la instalación de sistemas comunes o privativos, de aprovechamiento de energías renovables, o bien de las infraestructuras necesarias para acceder a nuevos suministros energéticos colectivos, *podrá ser acordada, a petición de cualquier propietario, por un tercio de los integrantes de la comunidad que representen, a su vez, un tercio de las cuotas de participación.*

La comunidad no podrá repercutir el coste de la instalación o adaptación de dichas infraestructuras comunes, ni los derivados de su conservación y mantenimiento posterior, sobre aquellos propietarios que no hubieren votado expresamente en la Junta a favor del acuerdo. No obstante, si con posterioridad solicitasen el acceso a los servicios de telecomunicaciones o a los suministros energéticos, y ello requiera aprovechar las nuevas infraestructuras o las adaptaciones realizadas en las preexistentes, podrá autorizárseles siempre que abonen el importe que les hubiera correspondido, debidamente actualizado, aplicando el correspondiente interés legal.

No obstante lo dispuesto en el párrafo anterior respecto a los gastos de conservación y mantenimiento, la nueva infraestructura instalada tendrá la consideración, a los efectos establecidos en esta Ley, de elemento común.

135. En general ¿qué tipo de mejoras no estoy obligado a pagar?

La Ley no enumera o especifica este tipo de obras no exigibles. No obstante serían todas aquellas «*instalaciones, servicios o mejoras no requeridos para la adecuada conservación, habitabilidad, seguridad y accesibilidad del inmueble, según su naturaleza y características*». A modo de ejemplo se pueden citar, entre otras, todas aquellas obras que cambien elementos comunes que están en buen estado con una finalidad estética o decorativa.

Como norma general, Vd. estará obligado a contribuir a aquellas mejoras aprobadas en junta por el voto favorable de las tres quintas partes del total de los propietarios que, a su vez, representen las tres quintas partes de las cuotas de participación cuyo importe no exceda de tres mensualidades ordinarias de gastos comunes.

136. Vivo en una finca antigua que no dispone de ascensor y queremos instalar uno, pero existe un propietario que, aunque no se niega, dice que no va a pagarlo. ¿Es cierto que si lo instalamos podrá utilizarlo aunque no pague?

No es cierto, ya que si la Junta adopta, válidamente, el acuerdo de instalar un ascensor, todos los propietarios están obligados a contribuir a los gastos de instalación en proporción a su cuota de participación. La adopción de dicho acuerdo requiere el voto favorable de las mayoría de propietarios que, a su vez, represente la mayoría de las cuotas de participación, el art. 17.2: «...*Sin perjuicio de lo establecido en el artículo 10.1 b), la realización de obras o el establecimiento de nuevos servicios comunes que tengan por finalidad la supresión de barreras arquitectónicas que dificulten el acceso o movilidad de personas con discapacidad y, en todo caso, el establecimiento de los servicios de ascensor, incluso cuando impliquen la modificación del título constitutivo, o de los estatutos, requerirá el voto favorable de la mayoría de los propietarios, que, a su vez, representen la mayoría de las cuotas de participación*».

137. En mi finca se ha instalado un aire acondicionado común, medida con la que estaba de acuerdo y que se consideró una mejora. No obstante por atravesar un mal momento económico no he abonado mi parte, por lo que no dispongo de entrada del mismo en mi casa. Si en un futuro pudiera y lo deseara, ¿podría solicitar el incorporarme a dicho servicio?

Si no se contribuyó a la instalación de una innovación y posteriormente se desea participar de sus ventajas, se podrá hacer, siempre y cuando se abone la cuota en los gastos de realización y mantenimiento actualizados a la fecha de su disfrute, con los intereses legalmente estipulados desde la fecha de instalación. El artículo 17.4 LPH establece: «... *Si el disidente desea, en cualquier tiempo, participar de las ventajas de la innovación, habrá de abonar su cuota en los gastos de realización y mantenimiento, debidamente actualizados mediante la aplicación del correspondiente interés legal*».

138. La Junta de mi Comunidad aprobó construir unos trasteros de uso común en la terraza del inmueble. Yo no estaba a favor de dicho acuerdo. ¿Estoy obligado a pagar las citadas obras?

No necesariamente, ya que el acuerdo de la Junta podría ser nulo, pues supone alterar un elemento común y ello afecta al título constitutivo, con lo que podría ser necesario acuerdo unánime. Sin embargo, tal como recoge la actual LPH en su art. 17.3, el establecimiento de servicios comunes de interés general, incluso cuando supongan la modificación del título constitutivo o de los estatutos, requerirá el voto favorable de las tres quintas partes de los propietarios.

Por tanto, para determinar la validez o no del acuerdo de la Junta habrá que tener en cuenta si la construcción de los trasteros, puede considerarse un servicio y si es de interés general y el porcentaje de propietarios que votaron a favor.

139. ¿Qué otras obras implican la alteración de un elemento común?

El listado puede ser muy amplio, pero citando algunos de los casos más comunes, podemos enumerar:

Cubrimiento de patios de luces que no sean privativos, acristalamiento de balcones o terrazas, apertura de puertas o huecos en paredes comunitarias, etc.

140. ¿Pueden los propietarios de las plantas bajas instalar carteles o rótulos en la fachada?

El Tribunal Supremo, respecto de los locales de negocio, ha declarado que la instalación de anuncios o carteles es inherente a cualquier actividad negocial y constituye un uso lícito de los elementos comunes en cuanto no perjudiquen los derechos de los demás propietarios ni alteren el decoro arquitectónico del inmueble.

141. ¿Debo pagar los gastos de limpieza si no vivo en la finca?

La no utilización de un servicio no implica que se esté exento del pago del mantenimiento del mismo, por lo tanto, estará obligado a pagar la limpieza dado, asimismo, que es necesaria para la adecuada habitabilidad del inmueble. Tal como regula el artículo 9.2 de la LPH: «*Para la aplicación de las reglas del apartado anterior se reputarán generales los gastos que no sean imputables a uno o a varios pisos o locales, sin que la no utilización de un servicio exima del cumplimiento de las obligaciones correspondientes, sin perjuicio de lo establecido en el art. 17.4 de esta Ley*». El citado art. se refiere a nuevas instalaciones, servicios o mejoras no requeridos para la adecuada conservación, habitabilidad, seguridad y accesibilidad del inmueble, según su naturaleza y características.

142. ¿Existe alguna diferencia entre las distintas obras que se pueden realizar en un elemento común?

Podemos distinguir entre dos grupos de obras:

1º Las obras «*necesarias*» para la adecuada conservación, habitabilidad, seguridad y accesibilidad del inmueble. Todos los propietarios han de contribuir a los gastos generados por dichas obras. Dentro de este grupo podemos diferenciar entre obras ordinarias y extraordinarias.

2º Las obras de innovación que no sean necesarias para la adecuada conservación, habitabilidad, seguridad y accesibilidad del inmueble, según lo establecido en el art. 17.4 LPH. El propietario que no esté de acuerdo en su realización no está obligado a su abono siempre que el importe exceda de tres mensualidades ordinarias de gastos comunes.

8. DERECHOS Y OBLIGACIONES DEL PROPIETARIO

143. ¿Dónde se encuentran enumeradas las obligaciones de todo propietario?

En la Ley de Propiedad Horizontal. El artículo 9 de la LPH cita las obligaciones del propietario, entre las que se encuentran algunas directamente relacionadas con el uso del piso o local. Estas obligaciones son las siguientes:

a) Respetar las instalaciones generales de la comunidad y demás elementos comunes, ya sean de uso general o privativo de cualquiera de los propietarios, estén o no incluidos en su piso o local, haciendo un uso adecuado de los mismos y evitando en todo momento que se causen daños o desperfectos.

b) Mantener en buen estado de conservación su propio piso o local e instalaciones privativas, en términos que no perjudiquen a la comunidad o a los otros propietarios, resarciendo los daños que ocasione por su descuido o el de las personas por quienes deba responder.

c) Consentir en su vivienda o local las reparaciones que exija el servicio del inmueble y permitir en él las servidumbres imprescindibles requeridas para la realización de obras, actuaciones o la creación de servicios comunes llevadas a cabo o acordadas conforme a lo establecido en la propia LPH, teniendo derecho a que la comunidad le resarza de los daños y perjuicios ocasionados.

d) Permitir la entrada en su piso o local a los efectos prevenidos en los tres apartados anteriores.

e) Contribuir, con arreglo a la cuota de participación fijada en el título o a lo especialmente establecido, a los gastos generales para el adecuado sostenimiento del inmueble, sus servicios, cargas y responsabilidades que no sean susceptibles de individualización.

f) Contribuir, con arreglo a su respectiva cuota de participación, a la dotación del fondo de reserva que existirá en la comunidad de propietarios para atender las obras de conservación y reparación de la finca y, en su caso, para las obras de rehabilitación.

g) Observar la diligencia debida en el uso del inmueble y en sus relaciones con los demás titulares y responder ante éstos de las infracciones cometidas y de los daños causados.

h) Comunicar a quien ejerza las funciones de secretario de la comunidad, por cualquier medio que permita tener constancia de su recepción, el domicilio en España a efectos de citaciones y notificaciones de toda índole relacionadas con la comunidad. En defecto de esta comunicación se tendrá por domicilio para citaciones y notificaciones el piso o local perteneciente a la comunidad, surtiendo plenos efectos jurídicos las entregadas al ocupante del mismo.

i) Comunicar a quien ejerza las funciones de secretario de la comunidad, por cualquier medio que permita tener constancia de su recepción, el cambio de titularidad de la vivienda o local.

144. ¿Debo pagar los gastos comunes de un piso que poseo y que no habito en todo el año?

Ciertamente, ya que todo copropietario tiene la obligación de contribuir a los gastos comunes del inmueble aunque no ocupe su vivienda en todo el año o aunque no utilice determinados servicios comunes, tal como estipula el artículo 9.2 de la LPH: «... *sin que la no utilización de un servicio exima del cumplimiento de las obligaciones correspondientes, sin perjuicio de lo establecido en el art. 17.4º de esta Ley*».

145. La calefacción central del inmueble donde resido siempre ha funcionado mal, pero la Comunidad nunca ha adoptado una decisión definitiva al respecto, por lo que he decidido dejar de pagar mi parte de los gastos comunes hasta que se arregle la calefacción. ¿Es correcta mi postura?

No. Aunque su postura parezca justificada y la Comunidad esté obligada al mantenimiento de la calefacción central y de cualquier otro elemento común, Vd. deberá ejercer sus derechos a través de la Junta General o de la vía judicial pero nunca obrando por cuenta propia. Además, hay que tener presente que, en caso de impago de cuotas, la Comunidad podría dirigirse judicialmente contra Vd. siguiendo el procedimiento monitorio, previsto en el art. 21 LPH.

146. Uno de los pisos de nuestra Comunidad está alquilado. ¿A quién hay que reclamarle el pago de los gastos comunitarios, al inquilino o al propietario?

Al propietario. Independientemente de pactos contractuales en materia de arrendamientos o de que el inquilino ostente legalmente la representación del propietario, la responsabilidad y obligación de contribuir a los gastos comunes es del dueño del piso o local.

147. ¿Puede venderse un piso cuyo propietario tiene deudas pendientes con la Comunidad?

Sí puede venderse, pero el art. 9.1 e) LPH establece que «*El adquirente de una vivienda o local en régimen de propiedad horizontal, incluso con título inscrito en el Registro de la Propiedad, responde con el propio inmueble adquirido de las cantidades adeudadas a la comunidad de propietarios para el sostenimiento de los gastos generales por los anteriores titulares hasta el límite de los que resulten imputables a la parte vencida de la anualidad en la cual tenga lugar la adquisición y a los tres años naturales anteriores. El piso o local estará legalmente afecto al cumplimiento de esta obligación.*

En el instrumento público mediante el que se transmita, por cualquier título, la vivienda o local el transmitente, deberá declarar hallarse al corriente en el pago de los gastos generales de la comunidad de propietarios o expresar los que adeude. El transmitente deberá aportar en este momento certificación sobre el estado de deudas con la comunidad coincidente con su declaración, sin la cual no podrá autorizarse el otorgamiento del documento público, salvo que fuese expresamente exonerado de esta obligación por el adquirente. La certificación será emitida en el plazo máximo de siete días naturales desde su solicitud por quien ejerza las funciones

de secretario, con el visto bueno del presidente, quienes respon-
derán, en caso de culpa o negligencia, de la exactitud de los datos
consignados en la misma y de los perjuicios causados por el retraso
en su emisión.».

148. Voy a comprarme un piso y quisiera saber en que medida soy responsable de las deudas que pudiera tener el anterior propietario con la Comunidad.

Como se ha indicado anteriormente, en virtud del art. 9.1 e) LPH, el adquirente del piso o local *«responde con el propio inmueble adquirido de las cantidades adeudadas a la comunidad de propieta-rios para el sostenimiento de los gastos generales por los anteriores titulares hasta el límite de los que resulten imputables a la parte vencida de la anualidad en la cual tenga lugar la adquisición y a los tres años naturales anteriores. El piso o local estará legalmente afecto al cumplimiento de esta obligación.».*

Esto quiere decir que, si por ejemplo Vd. compra el piso en el mes de marzo del presente año y existieran deudas con la Comunidad del propietario anterior, tendrá que responder de los tres meses del presente ejercicio (enero, febrero y marzo) y de los tres años natu-rales anteriores.

149. ¿Quiere esto decir que si comprara el piso en diciembre ten-dría que responder de las deudas de casi tres años?

Así es, ya que tendría que responder de todo el año actual y de los tres años anteriores.

150. Un propietario que tenía deudas de cinco años con la Comu-nidad, ha vendido el piso. ¿A quién hay que reclamar esas deudas, al antiguo o al nuevo propietario?

Al nuevo propietario sólo podrá exigírsele el pago de las deudas del año de la compra y de los tres años anteriores, ya que las deudas anteriores a dicho periodo habrá que reclamárselas al antiguo pro-pietario, siempre y cuando no hayan prescrito. A tal efecto hay que recordar que el art. 1964 del Código Civil dispone que el plazo de prescripción es de 5 años.

151. ¿Qué es una cláusula de exoneración?

Es aquella por la cual se «*libera*» a un determinado propietario de la obligación de pagar determinados gastos, como por ejemplo a los propietarios de los bajos comerciales de pagar los gastos de zaguán, ascensor etc.

152. ¿Dónde constan esas cláusulas?

Pueden constar en el título constitutivo (de ahí la importancia que tiene leer y conocer el mismo); también pueden constar en los Estatutos, las puede aprobar la Junta de Copropietarios por acuerdo unánime y se pueden establecer por resolución judicial.

153. Recientemente he adquirido un piso nuevo en el que aún no se ha constituido la Comunidad y el constructor posee todavía la mayoría de los pisos. ¿Estoy obligado a contribuir a los gastos de mantenimiento del inmueble o los ha de pagar el constructor hasta que se constituya la Comunidad?

Vd. debe contribuir a los gastos de mantenimiento del inmueble ya que es propietario del piso. El hecho de que no se haya otorgado el título constitutivo no impide la aplicación de la LPH, como establece el art. 2 de la citada Ley.

154. ¿Tengo obligación de permitir la entrada en mi casa a los albañiles para efectuar una reparación que no me afecta?

Sí tiene Vd. obligación, tal como establece el art. 9 LPH: «*Son obligaciones de cada propietario... d) - Permitir la entrada en su piso o local a los efectos prevenidos en los tres apartados anteriores*» y en el apartado 3º del mismo artículo dispone: «*Consentir en su piso o local las reparaciones que exija el servicio del inmueble...*».

No dejar pasar a los albañiles solo puede generarle problemas y gastos. Puede ser denunciado, con el riesgo que la sentencia en su contra conlleve y habrá de resarcir de los daños y perjuicios que se produzcan como consecuencia de la no reparación del daño, debido a su actitud obstructiva.

155. Cuando la Ley determina que en el piso no se pueden desarrollar actividades molestas, peligrosas, incómodas, insalubres o ilícitas. ¿A qué se refiere concretamente?

Efectivamente, la LPH en el art. 7.2 señala: «*Al propietario y al ocupante del piso o local no les está permitido desarrollar en él o en el resto del inmueble actividades prohibidas en los estatutos, que resulten dañosas para la finca o que contravengan las disposiciones generales sobre actividades molestas, insalubres, nocivas, peligrosas o ilícitas*».

Eso significa que ni propietarios ni inquilinos pueden realizar en sus respectivas viviendas cualesquiera de estas actividades, que aunque se definen de forma general son bastante explícitas.

Así, las actividades prohibidas en los Estatutos serán las que por acuerdo unánime de los copropietarios se hayan reflejado en los mismos, que deberán haberse inscrito en el Registro de la Propiedad, ya que en caso contrario no tendrían validez frente a futuros copropietarios.

Normalmente los Estatutos prohibirán actividades de mucho tránsito o ruido, tales como consultas médicas, despachos profesionales, guarderías, academias, etc. que generan un mayor deterioro en escaleras, ascensores, y elementos comunes en general.

156. ¿Qué debemos entender por actividades peligrosas para la finca?

Aquellas que menoscaben o alteren la seguridad del edificio o su estructura.

157. ¿Qué debemos entender por actividades inmorales?

En la actual redacción del art. 7 de la LPH no se contemplan como actividades prohibidas en los pisos o locales aquéllas que sean inmorales. En todo caso, hay que tener especial cuidado con este concepto, en primer lugar porque si se trata de actividades relacionadas con el exhibicionismo y la provocación sexual, podríamos encontrarnos ante alguno de los delitos comprendidos en el Código Penal.

En segundo lugar, debemos tener presente el derecho al honor y a la intimidad personal y familiar reconocido en el art. 18.1 de la Constitución Española. Por ello, deberemos atender a cada uno de los casos que pudieran presentarse, siempre que los mismos tuvieran relevancia para la vida de la Comunidad.

158. ¿Qué debemos entender por actividades peligrosas, incómodas o insalubres?

Todas aquellas que entrañen un riesgo para la integridad física de los moradores de la Comunidad o del inmueble.

Puede ser calificada como insalubre, por ejemplo, la instalación en el inmueble de una actividad que suponga la manipulación de productos tóxicos aún a pesar de que el propietario hubiera obtenido en un principio las pertinentes licencias y autorizaciones administrativas para el desarrollo de dicha actividad, si de su actividad se desprende un perjuicio para la comunidad.

159. Creemos que la vecina del piso superior esta mentalmente desequilibrada, pues almacena gran cantidad de trastos y desperdicios que provocan un mal olor constante ¿Es contraria su actuación a la Ley?

Por supuesto. El almacenamiento de basuras en una vivienda está considerado como una «*actividad insalubre*» y recogida en el art. 7 de la LPH. Es evidente que puede afectar a la salud o cuando menos a la higiene del resto del inmueble, por lo que su actitud es lesiva para el resto de copropietarios y sancionable con arreglo a la Ley.

Para proceder legalmente contra esta actividad, deberá acudir, si el problema es acuciante, a denunciar ante el Juzgado la situación, y también ante el correspondiente órgano encargado de la Sanidad Pública. Con ello se conseguirá un mandamiento judicial para entrar en la vivienda y considerar la situación real, a través de un agente judicial quien informará al Juez que tomará la oportuna decisión. Evidentemente la denuncia deberá ser fundada y apoyada, a ser posible, por varios testigos o firmantes del escrito, que asuman la responsabilidad de un acto jurídico que debe ser consecuentemente sopesado antes de realizarse. Siempre que sea cierto, no habrá mayor problema.

160. ¿Es legal tener animales en los pisos?

La LPH no prohíbe la tenencia de los mismos, pero sí que viene ésta limitada por otras normas de distinto rango. Al ser la sanidad competencia de las Comunidades Autónomas, habrá que estar a la regulación existente en el respectivo ámbito autonómico y, en concreto, el local.

En general, las ordenanzas municipales señalan que la tenencia de animales en viviendas urbanas y otros inmuebles estará condicionada a que las circunstancias higiénicas de su alojamiento sean óptimas, a la ausencia de riesgos en el aspecto sanitario y a la inexistencia de peligros y molestias evitables para los vecinos o para otras personas.

161. ¿Existe algún límite respecto al número de animales que pueden alojarse en cada domicilio?

Sí. La autoridad municipal establecerá tales límites, atendiendo a las características de la vivienda y a la biomasa de los animales alojados. Por ello, cuando exista algún problema al respecto con un vecino, es importante conocer las ordenanzas municipales que regulan esta materia.

162. ¿Qué ocurre con los animales salvajes?

En general, se prohíbe la tenencia de animales salvajes potencialmente peligrosos fuera de los parques zoológicos. Su tenencia ocasional deberá ser expresamente autorizada y requerirá el cumplimiento de las debidas condiciones de seguridad, higiene y la total ausencia de molestias y peligros, y contar con los certificados internacionales establecidos (CITES). En este sentido, debe tenerse en cuenta lo dispuesto en la normativa estatal (Ley 50/1999, de 23 de diciembre, sobre el Régimen Jurídico de la Tenencia de Animales Potencialmente Peligrosos, Ley 11/2003, de 24 de noviembre, de Protección de los Animales y arts. 332 y siguientes del Código Penal), la normativa autonómica y las ordenanzas municipales.

163. ¿Puedo denunciar a mi vecino, que mantiene en su terraza un gallinero?

Sí, ya que según lo dispuesto en la LPH, pues puede calificarse como actividad insalubre. Asimismo, las respectivas ordenanzas municipales de tenencia de animales, en general, prohíben en suelo urbano las vaquerías, establos, cuadras, corrales de ganado, perreras y otras industrias de cría de animales, así como la explotación doméstica de aves de corral, conejos y otros pequeños animales.

164. En nuestra Comunidad se está produciendo una situación muy delicada y violenta, pues una de nuestras vecinas, cuyo dormitorio da al patio de luces, tiene la costumbre de gritar cuando hace el amor, gritos que se oyen en toda la finca la cual esta llena de niños. ¿Su actuación es contraria a la Ley?

Francamente desconocemos si existe alguna sentencia al respecto que clarifique la citada situación. No obstante, nuestro consejo sería que, al objeto de evitar situaciones violentas innecesarias y de tratar de solucionar de forma pacífica el problema, el Presidente o Administrador remitieran un escrito a la citada propietaria para que tomara las medidas oportunas que evitaran las molestias al resto de la Comunidad.

165. ¿Puede la Comunidad de Propietarios limitar de alguna forma mi derecho a vender mi piso?

No, la LPH no establece limitaciones al respecto; no obstante habrá que tener en cuenta algunas matizaciones:

– Si existen anejos al piso o local, como norma general, no será posible vender por separado ambas cosas.

– A la hora de comprar o vender plazas de garajes, habrá que tener en cuenta que sólo se podrá realizar la compra-venta cuando estén reflejados como locales independientes en las escrituras, con diferentes cuotas de participación.

– No se reconocen derechos de tanteo y retracto a los propietarios.

166. ¿Puede la Comunidad de propietarios limitar mi derecho a alquilar el piso?

Sí, ya que si existe alguna actividad no permitida en los Estatutos, como la realización en los pisos de actividades profesionales (oficinas, academias etc.) Vd. no podrá alquilar su piso si el mismo se va a destinar a tales fines.

Por otro lado es obvio que no puede alquilarse para que se realicen actividades molestas, insalubres, nocivas, peligrosas o ilícitas.

167. ¿Tengo que pedir permiso a la Comunidad para realizar obras dentro de mi casa?

Independientemente de los permisos municipales, Vd. podrá realizar obras en su piso siempre que «*no menoscabe o altere la seguridad del edificio, su estructura general, su configuración o estados exteriores, o perjudique los derechos de otro propietario, debiendo dar cuenta de tales obras previamente a quien represente a la comunidad*», tal como se establece en el art. 7.1 LPH.

El hecho de «dar cuenta de las obras» no significa que se haya de pedir permiso, sino que se ha de informar de la realización de las mismas.

No obstante lo anteriormente expuesto, habrá que estar a la entidad de la reforma de cada caso en concreto. Al respecto la sentencia del Tribunal Supremo de 30-5-2002 condenó a unos copropietarios que habían alterado la configuración interna del piso dividiendo el mismo en varias viviendas independientes y para ello no habían contado con la aprobación de la Junta de Propietarios, por lo que tuvieron que reponer el local al estado original previo a las obras.

168. Al ocupar el piso que he comprado, me he dado cuenta que muchos de sus elementos están mal construidos y lo hacen inhábil para vivir ¿contra quién tengo que demandar y en qué plazo?

El comprador puede ejercitar tres clases de demandas o acciones judiciales:

a) una acción por incumplimiento del contrato de compraventa frente al vendedor (sea o no el constructor) bien por haber entregado una cosa inhabitable de forma total o parcial, (a ejercitar en quince años) o por la obligación de responder por los vicios o irregularidades ocultas que han aparecido (a ejercitar en seis meses).

b) si suscribió el contrato para que se realizara la obra tiene otra acción contra el constructor por incumplimiento de ese contrato a ejercitar en quince años.

c) y la acción por la responsabilidad en que incurren quienes han intervenido en el proceso de construcción.

169. ¿Cómo se ejercita la demanda por la responsabilidad en que han incurrido, los que han participado en una obra defectuosa, cuya construcción está iniciada, antes del 6 de mayo de 2000, o respecto de la que se ha solicitado la licencia de edificación, antes de esa fecha?

En tal caso, se aplica el art. 1591 del Código Civil, de forma que el promotor o cualquier adquirente posterior de la vivienda o edificio puede demandar.

a) si se trata de deficiencias de la construcción al contratista, al sub-contratista y al promotor.

b) si se trata de vicios o irregularidades del suelo o de la dirección de la obra al arquitecto, arquitecto técnico u otros técnicos que hayan intervenido en la construcción.

Para ello es absolutamente necesario que esa irregularidad constructiva se produzca de los diez años siguientes desde que se concluyó la construcción. A partir del momento de su aparición comienza un periodo de quince años para poder interponer la demanda en los tribunales.

169.Bis La Ley de Ordenación de la Edificación (L 38/1999, de 5 de noviembre) ¿ha modificado la regulación de las demandas, contra quienes han intervenido en una edificación o construcción?

Si la construcción se inició después de mayo de 2000, se aplica con carácter general la LOE, aunque para algunas cuestiones sigue en vigor el art. 1591. La LOE establece tres clases de daños a tener en cuenta:

1.- daños producidos por defectos estructurales que comprometen la resistencia o estabilidad del edificio y han surgido en los diez años desde la recepción de la obra.

2.- daños causados por defectos de habitabilidad aparecidos en los tres años siguientes a la recepción de la obra.

En estos dos supuestos se puede demandar en los dos años siguientes al momento en que han aparecido contra los siguientes agentes (y siempre en relación a su respectiva responsabilidad en tales defectos): el promotor, el constructor, el proyectista, el director de la obra y el director de la ejecución de la obra, el suministrador de productos de construcción y entidades y laboratorios de control de calidad.

3.- daños ocasionados por defectos de terminación y acabado, aparecidos en el año siguiente a la recepción. Sólo se puede demandar en los dos años siguientes al momento de su aparición al constructor.

170. La Comunidad de Propietarios ¿puede interponer una demanda, para exigir la responsabilidad a los agentes que han intervenido en el proceso de edificación, por las tres clases de defectos que establece la LOE?

Para aclarar la cuestión hay que afirmar que pueden ejercitar esa acción judicial:

a) el propietario o copropietario del edificio donde se han producido esos daños.

b) todo el que posteriormente haya comprado la vivienda o edificación una vez ya construida.

c) La Comunidad de Propietarios, por medio de su presidente siempre que los daños se hayan ocasionado en los elementos comunes. Si los daños se han producido sólo en elementos privativos lo normal es que la demanda la presente el propietario afectado aunque cabe que prefiera autorizar a la Comunidad a que sea ella quien ejercite la acción. Cuando los daños surgen en elementos comunes y en privativos parece preferible que sea la Comunidad la demandante.

La STS de 20 de mayo de 2015, fija como doctrina jurisprudencial que en los daños comprendidos en la LOE, cuando no se pueda individualizar la causa de los mismos, o quedase debidamente probada la concurrencia de culpas, sin que se pueda precisar el grado de intervención de cada agente en el daño producido, la exigencia de la responsabilidad solidaria que se derive, aunque de naturaleza legal, no puede identificarse, plenamente, con el vínculo obligacional solidario que regula el Código Civil, en los términos del artículo 1137, por tratarse de una responsabilidad que viene determinada por la sentencia judicial que la declara. De forma, que la reclamación al promotor, por ella sola, no interrumpe el plazo de prescripción respecto de los demás intervinientes.

171. **El vecino del piso superior, se dejó un grifo abierto e inundó el rellano causando desperfectos en la pintura y en el enluci-do de las paredes. Dado que él no es dueño del piso, ya que es inquilino, ¿a quién tiene que reclamar la Comunidad?**

Al dueño, puesto que la responsabilidad directa recae sobre él y con independencia de que, a su vez, el propietario pueda reclamar al causante de los desperfectos las cantidades que hubiera tenido que abonar por su causa, tal como regula el artículo 9.1 g) de la LPH: *«Son obligaciones de cada propietario… g) Observar la diligencia debida en el uso del inmueble y en sus relaciones con los demás titulares y responder ante éstos de las infracciones cometidas y de los daños causados».*

172. **En la última Junta de la Comunidad se aprobó, por mayoría, el constituir un fondo para afrontar los gastos comunes, de-biendo aportar cada propietario 60 euros. ¿Es suficiente la mayoría para aprobar la creación de dicho fondo?**

Sí, pues quedaría encuadrado en el art. 17.7 LPH: *«Para la validez de los demás acuerdos bastará el voto de la mayoría del total de los pro-pietarios que, a su vez, representen la mayoría de las cuotas de parti-cipación. En segunda convocatoria serán válidos los acuerdos adop-tados por la mayoría de los asistentes, siempre que ésta represente, a su vez, más de la mitad del valor de las cuotas de los presentes.»*

No obstante en relación al fondo de reserva, éste deberá cumplir el mínimo establecido en el artículo 9.1.f el cual establece que: *«El fondo de reserva, cuya titularidad corresponde a todos los efectos a la comunidad, estará dotado con una cantidad que en ningún caso podrá ser inferior al 5 por ciento de su último presupuesto ordinario».*

173. **¿Tiene la Comunidad la obligación de pagarme las obras de reparación de mi balcón o debo sufragarlas yo?**

En la nueva redacción del art. 396 CC, el balcón se encuentra enu-merado como un elemento común, sin embargo, partes interiores, como el pavimento, pueden ser consideradas como elementos privativos y si se ven afectadas, habrán de abonarse por el propietario. En caso contrario, se costearán por la comunidad.

174. A la hora de realizar obras en mi casa y, como norma general, ¿qué limitaciones puedo tener respecto a la realización de las mismas?

Básicamente Vd. puede verse afectado por tres tipos de limitaciones:

1.- Limitaciones por parte de su Comunidad si lo que pretende es realizar obras que afecten a un elemento común.

2.- Limitaciones fijadas por las Ordenanzas Municipales respectivas, siendo una de las más comunes la prohibición de exceder en la construcción de un determinado número de alturas.

3.- Asimismo puede sufrir limitaciones en la realización de las obras si las mismas implican o derivan en algunas de las actividades que contravengan las disposiciones generales sobre actividades molestas, insalubres, nocivas, peligrosas o ilícitas.

175. He acristalado el balcón de mi casa ya que cuento con la Licencia Municipal, sin embargo, la Comunidad amenaza con denunciarme por carecer del permiso de la Junta de Copropietarios ¿Está la ley de mi parte?

No, ya que una cosa son los permisos de obras municipales que, por descontado, deben solicitarse y otra es el cumplimiento de la LPH, que, en el caso de cerramiento de terrazas, según el art. 10.3° LPH, precisa autorización administrativa y acuerdo de la junta de propietarios tomado por las tres quintas partes del total de los propietarios que, a su vez, representen las tres quintas partes de las cuotas de participación. Ese mismo artículo indica que también será requisito que conste el consentimiento de los titulares afectados.

Por lo tanto, aunque su Ayuntamiento le haya concedido el permiso de obras, si Vd. es denunciado por su Comunidad y el Sr. Juez considera que ha transgredido la LPH, puede condenarlo a restituir las modificaciones efectuadas a su estado original.

176. ¿Es posible acordar, por parte de la Junta de Copropietarios, conceder a un determinado propietario el permiso de uso y disfrute de una terraza común?

Es posible siempre que se acuerde por unanimidad.

Ésta es una de las situaciones en que toda la Comunidad puede beneficiarse pactando con uno de sus condóminos, ya que, por ejemplo podría establecerse la concesión del citado permiso a cambio de la limpieza y mantenimiento de la parte cedida en usufructo.

Al respecto cabe destacar que en ese permiso sería importante reseñar la temporalidad del mismo, temporalidad sujeta a la voluntad de la Junta, pues en más de una ocasión se ha confundido el otorgamiento temporal de un permiso de uso y disfrute sobre un elemento común, con la cesión definitiva del mismo.

177. El portero se jubiló y su vivienda, que pertenece a la Comunidad, la hemos alquilado; el reparto de los beneficios que produce ese alquiler ¿debe realizarse en partes iguales?

No, ya que al igual que sucedía con el reparto de los gastos y obligaciones, la distribución de un posible beneficio debe efectuarse conforme a la cuota de participación respectiva de cada copropietario, tal como establece el artículo 3.b de la LPH: «... A cada piso o local se atribuirá una cuota de participación con relación al total del valor del inmueble y referida a centésimas del mismo. Dicha cuota servirá de módulo para determinar la participación en las cargas y beneficios por razón de la comunidad».

No obstante, los beneficios no tienen obligatoriamente que repartirse, pueden revertir en el fondo de la comunidad o destinarse a otros usos.

178. Deseo cerrar la galería de mi casa ¿he de pedir permiso a la Comunidad?

Sí, y para ello necesitará, de conformidad con lo dispuesto en el art. 10.3 LPH, además de autorización administrativa, acuerdo de la Junta de Propietarios tomado por las tres quintas partes del total de los propietarios que, a su vez, representen las tres quintas partes de las cuotas de participación. Ese mismo artículo indica que también será requisito que conste el consentimiento de los titulares afectados.

179. Existen importantes desperfectos en la fachada de la finca y la Junta, decide buscar un arquitecto para que emita un informe de los daños y un presupuesto de reparación. ¿Puede un copropietario negarse a pagar los honorarios del arquitecto derivados, de su informe, y aprobados en la Junta de la Comunidad?

No, pues se trata de un gasto más que la Comunidad debe satisfacer, que deberá ser aprobado en Junta con todos los requisitos legales que establece la LPH, y por tanto, si se negara cualquier propietario a su pago, se podrá presentar la correspondiente demanda judicial contra el moroso.

180. ¿Puede pactarse en Junta un pago mensual de gastos, para todos los propietarios por igual, sin adecuarse a las cuotas de participación fijadas en la escritura de división horizontal?

El artículo 9.1 e) de la LPH dispone que será obligación de cada propietario contribuir a los gastos generales, pero también que podrá hacerse conforme a lo «*especialmente establecido*». Esto significa que la Junta de propietarios está autorizada, con la conformidad de todos los copropietarios, para establecer un sistema distinto al ordinario de pago proporcional a la cuota, estableciendo cantidades fijas y por igual para todos los copropietarios para satisfacer los gastos de Comunidad.

Este acuerdo debe adoptarse por unanimidad de los copropietarios.

181. **¿Puedo negarme a la contratación de un vigilante jurado que la Comunidad pretende contratar para el garaje, dado que lo considero una mejora no necesaria?**

Según el art. 17.3 LPH «... *El establecimiento o supresión de los servicios de portería, conserjería, vigilancia u otros servicios comunes de interés general, supongan o no modificación del título constitutivo o de los estatutos, requerirán el voto favorable de las tres quintas partes del total de los propietarios que, a su vez, representen las tres quintas partes de las cuotas de participación.*» Por tanto, si la Junta decide contratar un vigilante por la citada mayoría, Vd. tendrá que aceptarlo y contribuir a los gastos que ello genere.

9. TIPOS DE PROCEDIMIENTOS JUDICIALES
– Por qué, cómo y cuándo promoverlos

182. ¿Qué clases de procesos judiciales prevé la Ley de Propiedad Horizontal?

Podemos señalar:

1.- Procesos para la obtención de acuerdos por la Junta de Propietarios (art. 17.7 LPH).

2.- Procesos para la impugnación de los acuerdos de la Junta, en el caso de que sean:

a) gravemente lesivos para los intereses de la comunidad (art. 18.1 b) LPH).

b) contrarios a la Ley o a los Estatutos (art. 18.1 a) LPH).

c) cuando supongan un grave perjuicio para algún propietario que no tenga obligación jurídica de soportarlo o se hayan adoptado con abuso de derecho (art. 18.1.c) LPH).

3.- Procesos para solicitar la cesación de actividades molestas, insalubres, nocivas, peligrosas o ilícitas (art. 7.2 LPH).

4.- Procesos para la reclamación de deudas pendientes contra el propietario moroso (art. 21 LPH).

5.- Proceso para solicitar del juez el relevo del cargo de Presidente, o para designar Presidente, si la Junta no lo consiguiese (art. 13.2 LPH)

6.- Proceso para solicitar del juez la adaptación de estatutos (Disposición transitoria 1ª LPH).

183. Cuando no sea posible obtener la mayoría para la validez de los acuerdos ni en primera ni en segunda convocatoria, ¿es posible acudir al Juez para adoptar dicha decisión?

Sí, presentando la correspondiente demanda ante el Juzgado de Primera Instancia del lugar donde se encuentre la finca, en el mes siguiente a la celebración de la segunda junta que debe realizarse al efecto (art. 17.7º LPH)

El Juez oirá en una comparecencia a las partes y resolverá en equidad lo que proceda dentro de veinte días, contados desde la presentación de la demanda y se pronunciará expresamente sobre el pago de las costas.

184. En el caso de la cuestión anterior, ¿quién puede presentar la demanda y contra qué personas?

La puede presentar cualquiera de los propietarios, usufructuarios (por delegación del nudo propietario) o el representante designado por los varios copropietarios de un piso.

Se presenta contra los propietarios que votaron en contra, los que se abstuvieron y los ausentes.

185. ¿Qué ocurre cuando existe una contradicción entre una norma estatutaria de una Comunidad y una norma imperativa de la Ley de Propiedad Horizontal?

La LPH establece en su Disposición Transitoria Primera, que «*La presente Ley regirá todas las comunidades de propietarios, cualquiera que sea el momento en que fueron creadas y el contenido de sus estatutos, que no podrán ser aplicados en contradicción con lo establecido en la misma.*

En el plazo de 2 años, a contar desde la publicación de esta Ley en el Boletín Oficial del Estado, las comunidades de propietarios deberán adaptar sus estatutos a lo dispuesto en ella en lo que estuvieren en contradicción con sus preceptos.

Transcurridos los 2 años, cualquiera de los propietarios podrá instar judicialmente la adaptación prevenida en la presente disposición por el procedimiento señalado en el número 2.º del artículo 16».

Para ello, sería necesario celebrar una Junta de propietarios, acordar dicha adaptación y, en el supuesto de que haya algún disidente, acudir al Juez para homologar las normas estatutarias.

186. ¿Puede una minoría de copropietarios impugnar judicialmente un acuerdo adoptado en Junta?

Sí, los copropietarios que estimen gravemente perjudicial para sus intereses un acuerdo de la Junta, podrán impugnarlo judicialmente, en virtud del art. 18.1.c) LPH.

El art. 18.2 LPH establece que *«Estarán legitimados para la impugnación de estos acuerdos los propietarios que hubiesen salvado su voto en la junta, los ausentes por cualquier causa y los que indebidamente hubiesen sido privados de su derecho de voto».*

187. ¿Contra quién deberá dirigirse la demanda en el supuesto de impugnación de acuerdos?

Contra la Comunidad, representada por el Presidente, y si éste formara parte de la minoría que ha impugnado el acuerdo, deberá dirigirse contra los propietarios que votaron a favor del mismo.

La demanda se dirigirá al Juzgado de Primera Instancia del lugar donde se encuentre el inmueble.

El art. 18.2 LPH establece que para poder impugnar los acuerdos de la junta, es necesario que el propietario esté al corriente en el pago de la totalidad de las deudas vencidas con la comunidad o que proceda previamente a la consignación judicial de las mismas.

Asimismo, el art. 18.4 LPH dispone que *«La impugnación de los acuerdos de la Junta no suspenderá su ejecución, salvo que el Juez así lo disponga, con carácter cautelar, a solicitud del demandante, oída la comunidad de propietarios».*

188. ¿Puede un propietario moroso, al que se le ha privado del derecho de voto, impugnar los acuerdos de la Junta?

El art. 18.2 LPH establece que para poder impugnar los acuerdos de la Junta, el propietario deberá estar al corriente en el pago de la totalidad de las deudas vencidas con la comunidad o proceder previamente a la consignación judicial de las mismas. Esta regla no se aplica en el supuesto de que el acuerdo trate de establecimiento o alteración de cuotas de participación.

189. ¿Son impugnables aquellos acuerdos adoptados en Junta que vulneren la Ley? ¿Y los que sean contrarios a los Estatutos?

El art. 18 LPH establece que son impugnables los acuerdos que sean contrarios a la Ley o a los estatutos de la comunidad de propietarios. En el apartado tercero de dicho artículo se recoge el plazo para poder impugnarlos, que será de un año.

190. ¿Quiénes estarán legitimados para interponer la demanda judicial?

Si se trata de ejercitar una acción de nulidad de un acuerdo por ser contrario a la Ley (por ejemplo la instalación de una actividad peligrosa en el inmueble), cualquier persona podrá interponer la demanda.

Si se trata de obtener la anulación, tal y como dice el art. 18.2, estarán legitimados los propietarios que hubiesen salvado su voto en la Junta, los ausentes por cualquier causa y los que indebidamente hubiesen sido privados de su derecho de voto. Para impugnar los acuerdos de la Junta el propietario deberá estar al corriente en el pago de la totalidad de las deudas vencidas con la comunidad o proceder previamente a la consignación judicial de las mismas. Esta regla no será de aplicación para la impugnación de los acuerdos de la Junta relativos al establecimiento o alteración de las cuotas de participación a que se refiere el artículo 9 entre los propietarios. También están legitimados para interponer la demanda judicial los usufructuarios por delegación del nudo propietario y el representante de un piso en copropiedad.

191. ¿Contra quién se dirigirá la demanda?

La acción se dirigirá contra la Comunidad, representada por el Presidente, y en su defecto (si él mismo desea iniciar la acción o si ha votado en contra del acuerdo), contra cada uno de los propietarios que votaron a favor del acuerdo.

192. ¿Cabe privar, provisionalmente, al propietario del uso de la vivienda por alguna causa?

Sí, en los supuestos de que se desarrollen en el piso o en el resto del inmueble actividades prohibidas en los Estatutos, dañosas para la finca, o que contravengan las disposiciones generales sobre actividades molestas, insalubres, nocivas, peligrosas o ilícitas.

Según el art. 7 LPH será el Juez quien además de la cesación definitiva de la actividad prohibida y la indemnización de daños y perjuicios que proceda, decrete la privación de la vivienda, que nunca podrá ser por tiempo superior a tres años, en función de la gravedad de la infracción y de los perjuicios ocasionados a la Comunidad.

193. ¿Quiénes están legitimados para interponer la acción de cesación de aquellas actividades prohibidas en un piso o local?

El art. 7 LPH establece que *«El presidente de la comunidad, a iniciativa propia o de cualquiera de los propietarios u ocupantes, requerirá a quien realice las actividades prohibidas por este apartado la inmediata cesación de las mismas, bajo apercibimiento de iniciar las acciones judiciales procedentes»*.

A continuación, dicho artículo determina que si el infractor persiste en su conducta, el Presidente puede, una vez que ha sido autorizado por la Junta, entablar acción de cesación.

194. ¿Cabe ejercitar acciones por las mismas prohibiciones contra quien ocupe la vivienda sin ser propietario?

Sí, ya que el art. 7.2 LPH se refiere a actividades prohibidas al propietario y al ocupante del piso o local.

El procedimiento contra el infractor no propietario sería el mismo que contra el propietario, pero hay que tener en cuenta que el art. 7.2 LPH dispone que *«Si el infractor no fuese el propietario, la sentencia podrá declarar extinguidos definitivamente todos sus derechos relativos a la vivienda o local, así como su inmediato lanzamiento»*.

195. Si el que realiza las actividades prohibidas es el inquilino, ¿a quién se ha de demandar?

Según el art. 7.2 LPH, *«la demanda habrá de dirigirse contra el propietario y, en su caso, contra el ocupante de la vivienda o local»*, no obstante se considera que no es necesario que ambos sean demandados, de modo que puede serlo sólo el inquilino.

196. ¿De qué dependerá el éxito de estas acciones judiciales?

En este tipo de procedimientos, el éxito de la acción judicial dependerá, en gran medida, de la prueba que se aporte, es decir, tendremos que demostrarle al Juez, sin el menor género de dudas, que la actividad prohibida, molesta, insalubre, nociva, peligrosa o ilícita se ha producido. Para ello utilizaremos todos los medios probatorios admitidos en Derecho, bien sean testificales de los propios vecinos, actas notariales, denuncias, informes periciales, etc.

197. ¿Cabe la reclamación judicial de las deudas contraídas por un copropietario por impago de los gastos generales de la Comunidad?

Si la Junta de propietarios acuerda exigir judicialmente el pago de la deuda, el Presidente o el Administrador están facultados legalmente para poder iniciar el procedimiento.

Este procedimiento será, en principio, el procedimiento monitorio, recogido en el art. 21 LPH, que es un procedimiento ágil y relativamente sencillo para poder obtener una solución al conflicto generado por el impago de las cuotas.

No obstante, también se pueden utilizar los juicios declarativos ordinarios, como el verbal o el juicio ordinario, en función de la cuantía reclamada, pero estos procedimientos son más complejos y en determinados casos (juicio ordinario) requieren siempre la intervención de abogado y procurador.

198. En el supuesto de que se haya pactado que sea el arrendatario o el usufructuario el que corra con los gastos de la Comunidad, ¿contra quién se dirigirá la demanda?

Contra el propietario del piso o local, sin perjuicio de que él mismo pueda reclamarlos al usufructuario o al inquilino, pues tal como refleja el art. 9.1 e), es obligación del propietario contribuir a los gastos generales para el adecuado sostenimiento del inmueble.

199. ¿Es necesario, para interponer la demanda contra un propietario moroso, haber practicado algún trámite previo?

Con la actual redacción de la LPH, se exige la notificación a los propietarios morosos del acuerdo de la Junta aprobando la liquidación de la deuda con la comunidad. Así lo establece el art. 21.2 LPH, cuando señala que antes de acudir a los Tribunales es necesaria *«la previa certificación del acuerdo de la Junta aprobando la liquidación de la deuda con la comunidad de propietarios por quien actúe como Secretario de la misma, con el visto bueno del Presidente, siempre que tal acuerdo haya sido notificado a los propietarios afectados en la forma establecida en el artículo 9».*

200. ¿Qué documentos deberán acompañar a la demanda?

Será necesario acompañar a la demanda, además de la certificación de la deuda emitida por el Secretario, nota simple del Registro de la Propiedad sobre la titularidad de los demandados de la propiedad en cuestión, así como el Libro de Actas de la Comunidad donde conste el nombramiento del presidente de la Comunidad y el acuerdo de proceder judicialmente contra el propietario moroso.

En sustitución del Libro de Actas, será perfectamente admisible la certificación expedida por el Secretario donde se dé fe de la existencia en Libro de Actas de la adopción de dichos acuerdos.

201. Se pueden reclamar otros gastos al moroso además de su deuda con la Comunidad?

Además de la cantidad que se reclame por la deuda se le pueden añadir el importe de los gastos del requerimiento previo de pago, siempre que conste documentalmente la realización de éste, y se acompañe a la solicitud el justificante de tales gastos.

202. ¿Qué ocurre cuando compro un piso, sobre el que existen deudas pendientes con la Comunidad de Propietarios y que fueron generadas por el vendedor? ¿Puede dirigirse contra mí la Comunidad para reclamar el pago?

Sí, ya que el art. 9.1.e) LPH establece que *«El adquirente de una vivienda o local en régimen de propiedad horizontal, incluso con título inscrito en el Registro de la Propiedad, responde con el propio inmueble adquirido de las cantidades adeudadas a la comunidad de propietarios para el sostenimiento de los gastos generales por los anteriores titulares hasta el límite de los que resulten imputables a la parte vencida de la anualidad en la cual tenga lugar la adquisición y a los tres años naturales anteriores. El piso o local estará legalmente afecto al cumplimiento de esta obligación.».*

203. ¿Qué medidas podré adoptar en el supuesto anterior?

Podrá dirigirse contra el anterior propietario para reclamarle las cantidades adeudadas que ha tenido que pagar.

La LPH, en su art. 9.1e) exige que *«En el instrumento público mediante el que se transmita, por cualquier título, la vivienda o local el transmitente, deberá declarar hallarse al corriente en el pago de los gastos generales de la comunidad de propietarios o expresar los que adeude. El transmitente deberá aportar en este momento certificación sobre el estado de deudas con la comunidad coincidente con su declaración, sin la cual no podrá autorizarse el otorgamiento del documento público, salvo que fuese expresamente exonerado de esta obligación por el adquirente. La certificación será emitida en el plazo máximo de siete días naturales desde su solicitud por quien ejerza las funciones de secretario, con el visto bueno del presidente, quienes responderán, en caso de culpa o negligencia, de la exactitud de los datos consignados en la misma y de los perjuicios causados por el retraso en su emisión.».*

204. En el caso de que el vendedor no hubiera hecho constar, en la escritura de compraventa, las deudas pendientes con la Comunidad ¿será posible inscribir la transmisión en el Registro de la Propiedad?

No va a poder inscribirse la transmisión en el Registro de la Propiedad porque el art. 9.1 e) LPH establece que sin la certificación sobre el estado de deudas con la comunidad «...*no podrá autorizarse el otorgamiento del documento público, salvo que fuese expresamente exonerado de esta obligación por el adquirente*». Si no se puede otorgar el documento público, no podrá acceder la transmisión al Registro, puesto que al mismo sólo acceden los documentos públicos.

205. En el supuesto de que existan varios pisos o locales que se encuentren en venta o que todavía sean propiedad del constructor; ¿Será posible reclamar los gastos de comunidad de estos inmuebles?

Sí. Al pago de los gastos comunes se encuentran obligados todos los propietarios del edificio, en función de la cuota de participación asignada en el título constitutivo. Por tanto, si existen todavía pisos no vendidos propiedad del constructor o del promotor, a éstos corresponden los gastos de Comunidad como si de un propietario más se tratara.

En caso de impago de dichos gastos, la Comunidad podrá dirigirse contra el constructor o promotor mediante el procedimiento monitorio (art. 21 LPH) regulado en los artículos 812 y siguientes de la Ley de Enjuiciamiento Civil.

206. ¿Será posible exigir al propietario deudor la obligación de pagar intereses de la deuda que mantiene con la Comunidad?

Sí, ya que el art. 21.5 LPH lo reconoce al expresar que «*cuando el deudor se oponga a la petición inicial del proceso monitorio, el acreedor podrá solicitar el embargo preventivo de bienes suficientes para hacer frente a la cantidad reclamada, los intereses y las costas*».

También conviene tener presente el artículo 816 de la Ley de Enjuiciamiento Civil dispone que desde que se dicte el auto despachando ejecución de la deuda, devengará el interés legal del dinero incrementado en dos puntos.

207. ¿Podrá la Comunidad entablar la acción judicial contra un moroso, aún en el supuesto de que dicho propietario tuviera la vivienda hipotecada a favor de alguna entidad bancaria?

Sí, la Comunidad podrá actuar contra el propietario moroso y solicitar el embargo preventivo de la vivienda, a pesar de que exista sobre la misma una hipoteca. La existencia de una hipoteca sobre el piso o local constituida con anterioridad a la deuda que el propietario mantiene con la Comunidad, no impide que se ejerciten las acciones judiciales para obtener el cobro, ya que el crédito de la Comunidad tiene carácter de preferente frente a cualquier otro derecho real inscrito (art. 9.1 e) LPH), salvo las hipotecas legales preferentes reguladas en los artículos de la Ley Hipotecaria 168.6 (en favor del Estado, provincias y pueblos para el cobro de impuestos sobre bienes inmuebles) y 168.7 (en favor de los aseguradores de bienes inmuebles, por las primas de los 2 últimos años).

La preferencia para el cobro se refiere a las cuotas imputables a la cuota vencida de la anualidad en curso y al año natural inmediatamente anterior.

208. En el caso de que el propietario que aparece en el Registro de la Propiedad no sea el dueño del piso, ¿a quién debemos exigir el pago de los gastos comunes?

Puede ocurrir que en el Registro aparezca como propietario una persona distinta a la ostenta la titularidad de la vivienda. La explicación a este hecho consiste en que el titular registral haya vendido el piso y que el actual propietario no haya inscrito la compra en el Registro.

La LPH ofrece la posibilidad de demandar al titular registral en el art. 21.4 LPH: «...*Asimismo se podrá dirigir la reclamación contra el titular registral...*». En todo caso deberá ser demandado el actual propietario.

209. ¿Puede solicitarse el embargo preventivo de los bienes del deudor?

Efectivamente, el art. 21.5 LPH dispone que «*cuando el deudor se oponga a la petición inicial del proceso monitorio, el acreedor podrá solicitar el embargo preventivo de bienes suficientes para hacer frente a la cantidad reclamada, los intereses y las costas.*

El tribunal acordará, en todo caso, el embargo preventivo sin necesidad de que el acreedor preste caución. No obstante, el deudor podrá enervar el embargo prestando aval bancario por la cuantía por la que hubiese sido decretado».

210. ¿Es necesaria la intervención de abogado y procurador?

La petición inicial se puede presentar por cualquier ciudadano ante el Juzgado del domicilio del demandado o del lugar en que radique la finca a elección del demandante.

Sin embargo si el propietario moroso quiere oponerse tendrá que acudir a un abogado y a un procurador si su deuda excede de 2.000 euros porque si es inferior tampoco será necesario.

211. ¿Es posible acumular en un único proceso varias acciones dirigidas contra diferentes propietarios morosos?

Sí puesto que en la Ley de Propiedad Horizontal no se excluye expresamente.

En el supuesto de las reclamaciones a propietarios morosos nos encontramos con un solo demandante (la Comunidad) que se dirige contra todos los propietarios que, estando obligados a contribuir al sostenimiento de los gastos que genere el inmueble, no los abonen en la cuota correspondiente.

212. ¿Cuáles son las costas judiciales que se tienen que afrontar al interponer una demanda?

Las costas son una porción de los gastos derivados del proceso que han de ser satisfechos por las partes. Se relacionan en el art. 241 párrafo segundo LEC. La regla general en materia de costas viene constituida por el criterio del vencimiento establecido en el art. 394 LEC. 1 para la primera instancia y en el art. 398.1 para el recurso de apelación: «En los procesos declarativos, las costas… de la primera instancia se impondrán a la parte que haya visto rechazadas todas sus pretensiones, salvo que el tribunal aprecie, y así lo razone, que el caso presentaba serias dudas de hecho o de derecho».

Ahora bien, se aplicará el límite previsto en el supuesto de hecho del 394.3 LEC, de modo que respecto a los honorarios de abogado no podrán exceder de la tercera parte de la cuantía de la reclamación. Existen especialidades relativas a los supuestos en los que la intervención de abogado y procurador no sea obligatoria (art. 32.5 LEC) y al procedimiento monitorio recogido en el art. 21.6 LPH.

Si la Comunidad presenta una demanda frente a terceros y es vencida en el juicio con condena en costas, el montante de éstas será considerado un gasto general que deberá ser satisfecho conforme a su respectiva cuota de participación por todos los copropietarios. En el supuesto que la Comunidad dirija su demanda frente a un copropietario y sea vencida en juicio con condena en costas, éste estará exonerado del pago de las costas.

213. ¿Cuáles son las tasas judiciales que hay que abonar al interponer una demanda?

La Ley 10/2012 de 20 de noviembre por la que se regulan determinadas tasas en el ámbito de la Administración de Justicia ha introducido la obligación de abonar una tasa al interponer una demanda de juicio ordinario, una demanda de juicio verbal, una solicitud de procedimiento monitorio, un recurso de casación o un recurso extraordinario por infracción procesal.

Quedan exentas del pago de esta tasa la solicitud de procedimiento monitorio y la demanda de juicio verbal cuando la cuantía de las mismas no supere los 2.000 euros, según el art. 4.1 e) de dicha Ley.

La reforma de la Ley, introducida por el RDL 1/2015 de 27 de febrero, dispuso la exención del pago de las tasas para las personas físicas.

La Dirección General de Tributos en su consulta vinculante de 05-03-2015 ha establecido la exención de la tasa de los propietarios personas físicas en tanto en cuanto actúen a través de la junta directiva de la Comunidad y, en particular, de su Presidente.

10. LA CONTABILIDAD EN LAS COMUNIDADES DE PROPIETARIOS

214. Soy el Presidente de una Comunidad de Propietarios y me encargo de la administración. Desearía información sobre el modo de llevar las cuentas, considerando que no sé nada de contabilidad.

A todos, antes o después, nos ha tocado ejercer de Presidente de la Comunidad de Propietarios durante un año o incluso más. Se trata de una obligación legal que nos puede acarrear algún quebradero de cabeza, sobre todo si debemos asumir la gestión económica y llevar las cuentas de la comunidad.

No hace falta ser un profesional para llevar la administración de la finca ni tener conocimientos de contabilidad. Con unas nociones básicas del algunos conceptos y aplicando el sentido común podemos llevar a cabo esta misión.

Estos conceptos básicos pueden ser muy útiles en el caso de fincas con pocas viviendas y sin excesivos servicios comunes. Sin embargo, en el caso de comunidades con un elevado número de viviendas y con muchos servicios comunes como portero, piscina, jardineros, vigilantes… sería aconsejable acudir a un profesional de la administración de fincas.

215. ¿Cuál sería el primer paso a realizar?

Para hacer frente a los imprevistos o desperfectos que surgen en un edificio, es necesario contar con un depósito de dinero. Teniendo en cuenta esta premisa, lo primero que debe hacerse según el artículo 9.1.f LPH es constituir un FONDO DE RESERVA (a partir de ahora FONDO). Este FONDO se crea para atender las obras de conservación y reparación de la finca y, en su caso, para obras de rehabilitación. En cuanto a las obras se refiere, entrarían dentro de este concepto tanto las obras ordinarias de mantenimiento, como pueden ser la contratación de mantenimiento de antenas, limpieza y desatascos de tuberías, así como a las extraordinarias que puedan surgir, como sustitución de tuberías, luz, agua, gas, reparaciones de tejados, fachas y portales.

El FONDO debe dotarse por un importe mínimo que viene marcado por la LPH. En ningún momento del ejercicio presupuestario puede ser inferior, al mínimo legal establecido. Esta previsión, de obligado cumplimiento, no da una solución en la práctica, ya que esta cantidad no suele ser suficiente para el fin destinado. Es aconsejable incluso que sea superior a lo exigido legalmente, esto permitirá al Administrador atender a los gastos que generen las obras anteriormente citadas y hacer frente a otros gastos extraordinarios e incluso cubrir la demora en el pago de algunos propietarios.

La Ley de Propiedad Horizontal establece que cada vecino debe contribuir a la dotación del FONDO de reserva con arreglo a su respectiva cuota de participación.

216. ¿Cuál debería ser la cuantía del fondo?

Tal y como hemos indicado existen unos mínimos legales establecidos en la LPH:

El 2,5 % del presupuesto ordinario de la Comunidad en el momento de su constitución y el 5% en adelante. Sin embargo reiteramos que es aconsejable que sea superior a la suma de los gastos normales del último presupuesto ordinario para hacer frente al pago de imprevistos o demoras en el cobro de recibos, no imputables a la gestión del administrador.

217. ¿Hay que incrementar el fondo anualmente?

Aunque la LPH no establece nada al respecto, es conveniente tener en cuenta la inflación anual, es decir, el incremento continuado de los precios, para que el FONDO sea suficiente para atender a unos gastos anuales que cada año se incrementan como consecuencia de la inflación y para cumplir el mínimo del 5% del último presupuesto.

El Instituto Nacional de Estadística (INE) en su página web ofrece información actualizada sobre el Índice de Precios al Consumo (IPC). El Administrador debe advertir al resto de los propietarios esta circunstancia con el fin de que se practique una derrama al objeto de aumentar dicho FONDO, que permitirá situarlo al nivel alcanzado por los nuevos precios.

218. ¿Qué otras consideraciones deben tenerse en cuenta?

Tener un moroso entre los vecinos es un problema que se agrava cuando la comunidad es pequeña porque los gastos se reparten entre pocos vecinos. La morosidad perjudica la liquidez de las comunidades. Sin embargo es un problema muy extendido y en todas las comunidades existen vecinos remolones que no pagan la deuda o que se retrasan demasiado.

Por ello hemos aconsejado que el FONDO sea mayor a la suma de los gastos ordinarios, para evitar que el Administrador tenga que hacer frente a situaciones incómodas y tenga que aplazar los pagos o incluso no hacer frente a gastos ordinarios por falta de liquidez.

Otra recomendación que hacemos a los Administradores es no mezclar los gastos extraordinarios y los ordinarios. Cuando se tenga que realizar una obra de relativa o considerable envergadura, como sustitución de tuberías bajantes de aguas fecales, arreglo o pintura de fachadas, etc. sería conveniente no mezclar los gastos de la obra con la cuenta de los gastos corrientes. En libreta o registros distintos, se pedirá y anotará en el HABER de los propietarios el valor del presupuesto de los trabajos a realizar y en la columna del DEBE, se anotarán todas las entregas de dinero que se hagan al contratista. La cuenta del banco aconsejamos, por razones de control y comodidad, que sea también distinta.

219. ¿Cómo se contabilizan los gastos?

El libro de cuentas, aunque no es obligatorio, es el instrumento principal de la persona encargada de la gestión del dinero en la comunidad. En este libro deben anotarse los gastos tanto los ordinarios como limpieza del edificio, mantenimiento... como los imprevistos (derramas). También se apuntarán los ingresos por las cuotas pagadas por cada vecino.

Este libro de cuentas puede ser un libro físico (los venden en cualquier papelería y tienen un formato específico con columnas de gastos e ingresos, espacio para la fecha y el concepto), una libreta o incluso una hoja de cálculo preparada para tal fin.

Los gastos trimestrales (periodo aconsejable para efectuar las liquidaciones) se anotaran por orden de fechas y al final del mismo, deberán sumarse y se repartirán entre todos los propietarios en relación a su coeficiente de participación, resultando de ello la cuota a pagar por cada vecino. Las facturas de cada trimestre deben archivarse, quedando a disposición de cualesquiera de los propietarios para su comprobación.

220. ¿Cómo se controlan los recibos?

Al liquidar los gastos del trimestre, extenderemos los correspondientes recibos, siendo conveniente llevar un registro de recibos emitidos que iremos tachando a medida que los cobremos. Con ello evitaremos el riesgo de perder alguno de ellos y conocer los que no se han cobrado y particularmente controlar a los morosos.

Al cobrarse todos los recibos, recuperaremos el dinero y en CAJA o BANCO, tendremos una cantidad igual al FONDO.

221. ¿Qué se debe entender por rendición de cuentas?

La rendición de cuentas es la operación que está obligada a realizar toda persona que tenga encomendada la administración de bienes ajenos, por la que expone el estado del patrimonio administrado y las gestiones realizadas para su conservación,

Aplicado a las Comunidades de Propietarios, rendir o rendición de cuentas, sería el acto de facilitar al resto de propietarios un estado justificativo sobre las cuentas de la Comunidad.

En la presentación y rendición de cuentas a la junta general de propietarios, el órgano correspondiente de la comunidad (administrador o presidente) debe seguir el criterio que, a su juicio, considere más adecuado para reflejar los ingresos y gastos de la comunidad en el período anual y su situación financiera, dado que en la Ley de Propiedad Horizontal no se establece ningún criterio o norma al respecto.

Señalar que contribuye a la tranquilidad tanto de los vecinos como del Administrador, la expresión escrita de la situación económica y de ahí nuestra recomendación de practicar cada trimestre natural una liquidación que llamaremos ESTADO DE CUENTAS de la Comunidad. Para ello vamos a utilizar un gráfico sencillo que desarrollaremos a continuación. Este gráfico consta de dos columnas «DEBE» Y «HABER».

La columna del DEBE recogerá la suma de todos los gastos anotados en nuestra libreta. También recogerá los recibos pendientes de cobro (si los hubiera), los recibos de los morosos, los anticipos que entreguemos a cuenta de trabajos y el dinero que tengamos en CAJA o BANCO. La suma de todos estos conceptos, deberá ser igual a la suma de los conceptos del HABER.

La columna del HABER refleja el dinero que han entregado los propietarios, es decir, EL FONDO. También puede registrar lo que debemos a algún proveedor y que hemos justificado previamente como gasto. Asimismo deben anotarse en el HABER los intereses que puedan devengar las cuentas bancarias, si las tenemos.

El SALDO, es la diferencia entre la suma del DEBE y la del HABER. Se llama *saldo deudor* cuando la suma del DEBE es mayor que la del HABER y *saldo acreedor* cuando la suma de la columna del HABER es mayor a la del DEBE.

A continuación desarrollaremos varios supuestos de manera sencilla, para poder comprobar fundamentalmente que todas las anotaciones del trimestre han sido correctas.

222. Supuesto primero

Imaginemos que administramos una finca de DIEZ viviendas, con las mismas cuotas de participación y que el FONDO de la misma son 600.-€ con aportaciones iguales por cada propietario. La cuota a pagar sería, pues, de 60.-€.

La situación de nuestra cuenta en este momento sería:

CONCEPTO	DEBE	HABER
FONDO		600
EN CAJA o Banco	600	
Sumas	600	600

A partir de aquí, se inicia el pago de gastos que al finalizar el trimestre natural, ascienden a 420.-€. En tal fecha, la situación sería:

CONCEPTO	DEBE	HABER
FONDO		600
Gastos del trimestre	420	
En CAJA o Banco	180	
Sumas	600	600

Comprobamos así que nuestras cuentas son correctas y procederemos a extender los recibos a los propietarios, retornando entonces el dinero a nuestra Caja o Banco.

223. Supuesto segundo

En otro trimestre, los gastos ascienden a 420.-€. En la libreta de recibos pendientes de cobro tenemos cuatro recibos de 42.-€ cada uno de ellos. Uno de ellos, corresponde a un vecino que por ausencia, no lo ha podido atender. Los otros tres son a cargo de otro propietario que lleva sin pagar tres trimestres por lo que puede considerársele MOROSO. El estado de la cuenta sería:

CONCEPTO	DEBE	HABER
FONDO		600
Gastos del trimestre	420	
Recibos pendientes de cobro	42	
Recibos de morosos	126	
En CAJA o Banco	12	
Sumas	600	600

224. Supuesto tercero

El anterior estado de cuentas nos advierte que el FONDO se está quedando corto. Por otra parte y en relación al propietario moroso, que está sin trabajo, se acuerda no exigirle la deuda por el momento y sí incrementar el FONDO en 30.-€ por cada vecino, totalizando 3.000.-€. Los gastos del trimestre ascienden a 480.-€.

CONCEPTO	DEBE	HABER
FONDO		600
Derrama de 30.-€ por 10		300
NUEVO FONDO		900
Gastos del trimestre	480	
Recibos de morosos	156	
En CAJA o Banco	264	
Sumas	900	900

Observemos que el apunte de Recibos pendientes de cobro (42.-€) ha desaparecido por haberse abonado y que los 126.-€ del moroso han subido a 156.-€ por no haber pagado tampoco la derrama de 30.-€

225. Supuesto cuarto

Aunque no con frecuencia, puede presentarse el caso de una reparación, por ejemplo, del ascensor, que sube 360.-€ y no disponemos de suficiente dinero para abonar la factura al proveedor. Ante esta situación, podemos actuar de dos formas. Tomando como base el ejemplo anterior, decidimos justificar como gasto dicha factura de 360, con lo cual, los gastos que ascendían a 480.-€, se elevarán a 840.-€. Pero como no la hemos pagado, deberá anotarse en el HABER la deuda al proveedor. Las anotaciones de esta primera forma quedarían así:

CONCEPTO	DEBE	HABER
FONDO		900
Gastos del trimestre (incluida la factura del ascensor no pagada)	840	
Recibos de morosos	156	
En CAJA o Banco	264	
Deuda a acreedores (ascensor)		360
Sumas	1.260	1.260

226. Supuesto quinto

A menudo, cuando se opera por Banco, los saldos de la cuenta bancaria no coinciden con nuestros apuntes porque omitimos los gastos financieros y los pocos o muchos intereses a nuestro favor que puedan ser devengados por los saldos en el Banco. Los intereses a nuestro favor, podemos sumarlos al FONDO, o anotarlos en el HABER, acumulándolos, hasta tanto se disponga el incorporarlos al Fondo, o devolverlos a los propietarios.

Supongamos que hasta la fecha tenemos a nuestro favor 12.-€ de intereses. Tomamos los datos del supuesto anterior una vez pagada al proveedor la factura por la reparación del ascensor. Tendremos:

CONCEPTO	DEBE	HABER
FONDO de reserva		900
Gastos del trimestre	480	
Recibos de morosos	156	
Caja o Banco	276	
INTERESES acumulados a nuestro favor		12
Sumas	912	912

Esta partida de INTERESES A NUESTRO FAVOR puede quedarse en el HABER indefinidamente, añadirla al FONDO o devolverla a los propietarios.

227. **Supuesto sexto**

Hemos intentado dar una orientación generalizada sobre la forma de llevar estas cuentas, tratando los hechos contables mas frecuentes y procurando no rebasar los límites que nos ha exigido la circunstancia de la mayoría de las personas que en pequeñas Comunidades de propietarios, se esfuerzan por atender la administración de sus fincas sin conocimientos contables.

Finalmente pondremos un ejemplo más completo o complicado:

– Nos encontramos en fecha 8 de enero. Los gastos corrientes ascienden a 360.-€ correspondientes al último trimestre del pasado año. En enero hemos pagado una factura de 90.-€ que justificaremos cuando acabe el primer trimestre del presente año. Se había acordado conceder una gratificación anual, en diciembre pagadera en Navidades, de 120.-€ al que ejerce de Administrador. Tenemos un recibo pendiente de cobro de un vecino ausente, de 42.-€. Los recibos morosos suben 156.-€. Hemos anticipado 60.-€ a un albañil para el arreglo de las baldosas de escalera y patio. Los intereses a nuestro favor acumulados son 48.-€.

En caja tenemos 54.-€ y el saldo del Banco es de 66.-€. Realizando el estado de cuentas, tendremos:

CONCEPTO	DEBE	HABER
FONDO		900
Gastos del 4º trimestre	360	
Gastos del próximo trimestre	90	
Gratificación por administración	120	
Recibos pendientes de cobro	42	
Recibos de morosos	156	
Anticipo a acreedores	60	
Intereses a nuestro favor acumulados		48
Existencia en Caja	54	
Saldo en el Banco	66	
Sumas	948	948

NOTA: Cuando calculemos los gastos del trimestre vencido a fin de extender los correspondientes recibos, sumaremos los 360.-€

del trimestre más los gastos de administración y gratificaciones, y dejaremos para el próximo los 90.-€.

Este gráfico de ESTADO DE CUENTAS que insertamos a continuación, de confección sencilla, puede servirnos de modelo para la comprobación y liquidación de los gastos trimestrales. Es aconsejable unirlo después a todos los justificantes que deban ser archivados y a disposición de cualquier propietario.

ESTADO DE CUENTAS

FINCA..
TRIMESTRE..

CONCEPTO	DEBE	HABER
FONDO		x
Gastos del trimestre actual	x	
Gastos del próximo trimestre	x	
Gratificación por administración	x	
Recibos pendientes de cobro	x	
Recibos de morosos	x	
Anticipo a acreedores	x	
Deudas a acreedores		x
Intereses a nuestro favor		x
Caja, efectivo	x	
Banco, saldo a nuestro favor	x	
Sumas		

Las cruces indican el lugar correcto donde deben anotarse los distintos conceptos.

Es importante recordar que cada anotación en el DEBE tiene que tener su contrapartida en el HABER y viceversa.

Excepcionalmente, puede presentarse en el Banco, un saldo acreedor o negativo y en este caso el apunte deberá hacerse en la columna del HABER. Y en el concepto, en lugar de escribir SALDO A NUESTRO FAVOR, pondríamos SALDO A FAVOR DEL BANCO, SALDO ACREEDOR o SALDO NEGATIVO.

Por último, como habrá advertido el lector, si la suma del Debe y la del Haber no son iguales, es que existe ERROR y por tanto procede revisar las cuentas a fin de localizarlo y rectificar.

11. PERSONAL CONTRATADO AL SERVICIO DE LA COMUNIDAD

228. ¿Qué requisitos debe cumplir una Comunidad para poder contratar trabajadores?

En primer lugar debe estar constituida legalmente y debe disponer de su correspondiente Número de Identificación Fiscal, tramitado ante la Delegación de Hacienda de la demarcación.

Además, hará falta una copia del Acta en la que se nombró Presidente, debiendo aportarse el DNI y el NIF del propietario que ostente la representación de la Comunidad.

Será necesaria también la solicitud de inscripción de empresa en el Régimen General y el documento de asociación con una Mutua Patronal que cubra los riesgos de accidentes de trabajo y enfermedad profesional, sin perjuicio de contar con un servicio de prevención para dar cumplimiento a las obligaciones contenidas en la Ley de Prevención de Riesgos Laborales, para lo cual recomendamos que se contrate con una entidad especializada (servicio de prevención ajeno)

Con todo ello más el correspondiente contrato, en cualquiera de sus múltiples variantes, se podrá proceder a la contratación de cualquier trabajador en el Régimen General de la Seguridad Social.

229. ¿Qué documentación se necesita para poder dar de alta a un trabajador? ¿Cuáles son los plazos reglamentarios?

Para poder dar de alta a un trabajador hará falta el DNI y la tarjeta de la Seguridad Social de la persona que vaya a contratarse en el régimen general de la Seguridad Social. El parte de alta en la Seguridad Social (TA2/S) se presentara previamente al comienzo de la prestación de servicios por el trabajador, sin que en ningún caso pueda serlo antes de los sesenta días naturales anteriores al previsto para la iniciación de la misma.

Los empresarios (comunidad de propietarios) están obligados a comunicar a la oficina pública de empleo, en el plazo de los diez días siguientes a su contratación y en los términos que reglamentariamente se determinen, el contenido de los contratos de trabajo que celebren o las prórrogas de los mismos, deban o no formalizarse por escrito. Todo ello sin perjuicio de la actual utilización de medios telemáticos.

Será el Presidente de la Comunidad de Propietarios, como representante legal de la misma, quien haya de firmar la solicitud de alta y baja. Cuando las altas y bajas se instrumenten por medios técnicos, cualquiera que sea su soporte, gozarán de la validez y la eficacia de las solicitudes presentadas mediante documentos, siempre que quede garantizada su autenticidad, integridad y conservación y, en su caso, la recepción por las Direcciones Provinciales de la Tesorería General de la Seguridad Social y por los interesados.

230. ¿Qué documentación se necesita para poder dar de baja a un trabajador? ¿Cuales son los plazos reglamentarios?

El cese de efectos de la relación jurídica con la Seguridad Social lo constituye la finalización de la actividad laboral que ha determinado el encuadramiento en uno de sus regímenes, por lo que el sujeto obligado, en este caso la Comunidad de Propietarios deberá comunicar dicha baja inmediatamente a la Tesorería General de la Seguridad Social mediante el correspondiente parte de baja (modelo TA2/2, en régimen general).

Los plazos están establecidos en el artículo 32.3 del RD 84/1996 y bien tanto la variación de datos como la baja, habrán de presentarse en el plazo de seis días naturales siguientes al del cese en el trabajo o de aquel en que la variación se produzca.

Las solicitudes de baja del trabajador por cuenta ajena deberán ir firmadas por el empresario (presidente de la comunidad), aunque no es imprescindible que las firme el trabajador (art. 30.4 del RD

84/96). El sujeto responsable de actos relacionados con la baja en el Régimen General es el empresario.

Desde hace unos años los trámites de alta y baja se llevan a cabo a través del sistema de remisión electrónica de documentos, que permite presentar o confeccionar documentación relativa a cotización y afiliación de empresas, bien a sus propios titulares o a sus representantes.

En la actualidad y desde el 1-1-2011, están obligadas a transmitir por el sistema RED todas las empresas del régimen general, con independencia del número de trabajadores. La Tesorería ha puesto en servicio una nueva modalidad de RED, que es el Red Directo, adecuado para las pequeñas empresas, con un máximo de 15 trabajadores.

231. ¿Qué documentación debe poseer una Comunidad que tenga personal contratado?

Sin ánimo de exhaustividad, el calendario laboral, horario y los seguros sociales (TCs) que deberán estar expuestos en tablón de anuncios, en lugar visible, la información relativa a la mutua de accidentes de trabajo y enfermedades profesionales, donde debe estar inscrito el personal de la comunidad así como toda la documentación justificativa de estar dando cumplimiento a la Ley de Prevención de Riesgos Laborales. Además es preceptivo mantener el libro de visitas que tuviere la comunidad, por el plazo de cinco años, a partir de la última diligencia recibida (en la actualidad ya no es necesario dicho libro).

232. ¿Es posible rescindir el servicio de portería?

El artículo 17.3 de la LPH establece que «*El establecimiento o supresión de los servicios de portería, conserjería, vigilancia u otros servicios comunes de interés general, supongan o no modificación del título constitutivo o de los estatutos, requerirán el voto favorable de las tres quintas partes del total de los propietarios que, a su vez, representen las tres quintas partes de las cuotas de participación*».

233. **¿Qué documentación debe presentarse ante los organismos oficiales cuando la Comunidad tiene un portero contratado?**

Además de los seguros sociales (TC1 y TC2) que deben presentarse mensualmente en la entidad bancaria en la que la Comunidad disponga de cuenta, para ser cargados en ella, teniendo en cuenta que los seguros sociales deben pagarse hasta el último día del mes siguiente al periodo que corresponda (los seguros sociales del mes de enero pueden pagarse hasta el último día del mes de febrero), habrá que presentar, trimestralmente, el modelo 111 de pago a cuenta de las retenciones para el Impuesto sobre la Renta de las Personas Físicas y anualmente, el modelo 190, resumen anual de los cuatro modelos 111 que se habrán presentado a lo largo del año.

Será también preceptivo el certificado de retenciones practicadas para entregar al trabajador a fin de que pueda cumplimentar su correspondiente declaración de renta.

234. **¿Se puede despedir al portero de la finca?**

En la actualidad existen distintas clases de despido, o causas de extinción de la relación laboral, en función de cuál sea el motivo que nos lleve a la extinción del contrato con el portero o conserje. El despido puede ser por causas disciplinarias, tipificadas en el art. 54 TRET y en los convenios colectivos, estableciendo el art. 55 del TRET la forma y efectos del despido disciplinario. Por su parte los artículos 51 y 52 TRET, regulan el despido objetivo.

También podrá extinguirse la relación laboral por modificación sustancial de las condiciones de trabajo, regulado en el art. 41 TRET.

235. **Siempre que llegamos a casa el portero no está, aunque le corresponde permanecer en su puesto, en función del horario establecido. ¿Qué se puede hacer?**

Llamarle la atención, averiguar los motivos de sus ausencias y, en todo caso, una carta de sanción por la falta cometida en la que, al entregársela, deberá firmar el recibí.

Las sanciones pueden ser, en función de la gradación de la falta (que será leve, grave o muy grave): amonestación verbal, amonestación por escrito, suspensión de empleo y sueldo, llegando inclusive hasta el despido en el caso de falta muy grave. Al respecto es necesario consultar el respectivo convenio colectivo de empleados de fincas urbanas por si contuviesen normas y procedimientos al respecto,

236. Desconocemos las funciones que debe desarrollar el portero de la finca durante su jornada de trabajo. ¿Podrían indicar cuáles son?

Según el art. 22.5 del TRET *«Por acuerdo entre el trabajador y el empresario se establecerá el contenido de la prestación laboral...»*, por ello habrá que estar a lo establecido en los convenios colectivos.

Ponemos, a modo de ejemplo, el Convenio Colectivo de Madrid que dispone lo siguiente (la mayor parte de convenios se expresan en términos similares):

Son obligaciones específicas de los trabajadores clasificados como porteros y conserjes:

1. La limpieza, conservación y cuidado del portal, portería, escaleras, pasillos, patios, sótanos y demás dependencias que tengan acceso por elemento común, así como de los aparatos eléctricos o de otros destinos que en ella se encuentren instalados, sin que se les exijan las actuaciones propias del personal especializado en el tipo de aparato o elemento que requiera atención. En las fincas destinadas a viviendas en que por la configuración de su portal existan locales comerciales, se considerará como «pasaje comercial», sin que sea obligación del portero o conserje su limpieza, y tampoco lo será cualquiera que se derive del paso de animales domésticos por los elementos comunes de la finca, así como la limpieza de zonas deportivas, saunas y gimnasios. Los trabajos de limpieza deberán realizarse con preferencia en las primeras horas del día en beneficio del principal cometido, que es la vigilancia.

2. Vigilancia en esas mismas dependencias, así como de las personas que entren en el inmueble, velando porque no se perturbe el orden en el mismo ni el sosiego de los que en él habitan.

3. Cuidará los pisos y locales vacíos y acompañará a las personas que deseen verlos, facilitándoles cuantas noticias conciernen a los mismos, de acuerdo con las instrucciones previamente recibidas al efecto, a no ser que la propiedad adopte un acuerdo en contrario; atenderá con toda amabilidad a las personas que soliciten noticias de los ocupantes de las viviendas y otras dependencias de la finca, siempre que no sean de índole confidencial o informativo que afecten a la dignidad de los mismos, debiendo obrar siempre con la mayor discreción.

4. Tendrá a su cargo la puntual apertura y cierre del portal, así como el encendido y apagado de las luces de los elementos comunes; se hará cargo de la correspondencia o avisos que reciba para los ocupantes del inmueble y para la propiedad o administración de la finca, haciéndolo llegar a manos del destinatario con mayor diligencia, siempre que no reciba instrucciones en contrario por escrito de la propiedad.

5. Cumplimentará los encargos, avisos y comisiones encomendadas por las personas a que se refieren los artículos 5 y 16, y si fueran encargados del cobro de los alquileres o cuotas de la comunidad o cooperativa, lo cumplimentarán sin demora, entregando inmediatamente los fondos recaudados en la forma que haya sido señalada, siendo a cargo de la propiedad los gastos de toda clase que en dichos encargos, avisos, comisiones o cobros pudieran producirse.

6. Comunicará a la propiedad o representante de la comunidad o cooperativa cualquier intento o realización por parte de los propietarios o inquilinos de situaciones que puedan suponer molestias para los demás o que den lugar a subarriendos u ocupaciones clandestinas o traspasos fraudulentos, comunicando, asimismo, cualquier obra que se realice en las viviendas o locales y que haya llegado a su conocimiento.

7. Se ocupará del encendido, apagado y mantenimiento de los servicios de calefacción y agua caliente central, salvo que la propiedad los tenga contratados con un tercero; de la centralita telefónica, si no hubiera telefonista, y de los ascensores y montacargas que existan en la finca, así como de cuantos motores se utilicen para los servicios comunes. Pondrán urgentemente en conocimiento de

la propiedad o administración y de la casa conservadora cuantas anormalidades o averías observen en el funcionamiento de los correspondientes aparatos, suspendiendo el servicio afectado bajo su responsabilidad, si pudiere haber peligro en su utilización.

8. Cuidará de los cuartos de contadores y motores y de las entradas de energía eléctrica, así como de la conducción general de agua, bajantes y sumideros receptores de aguas pluviales en las terrazas, azoteas, patios, etcétera, de acceso por servicios comunales y que no entrañen peligrosidad. En caso de nevada, cumplimentará los usos y costumbres del lugar y cuanto dispongan las ordenanzas municipales de la localidad.

9. Tendrá la obligación del traslado de los cubos colectivos de basura en estado de llenos del inmueble hasta el lugar destinado por las ordenanzas municipales para su retirada por sus servicios. No así la recogida de cubos, bolsas o recipientes de cada piso o del pozal colector, que será objeto de pacto con la propiedad.

En aquellos casos que por la ubicación del cuarto de basuras o el lugar que tenga destinado la comunidad para depositar los cubos de basuras hubiera que salvar obstáculos de más de 10 escalones o 2 metros de rampa, el traslado de los cubos colectivos se haría en estado de vacíos. En este último caso, el empleado los depositaría en el lugar que destine la comunidad al efecto para posteriormente trasladarlos una vez llenos hasta el lugar destinado por las ordenanzas municipales para su retirada».

Con respecto a la obligación de sacar la basura, queremos reseñar que, de los distintos convenios estudiados se desprende que, como norma general, existe la obligación del traslado de los cubos colectivos de basura del inmueble hasta el lugar destinado por las ordenanzas municipales, no así la recogida de la basura de cada piso o del pozal colector, para lo cual será necesario pacto individual o colectivo, según hacen referencia los convenios de Cataluña y Madrid. No obstante al respecto habrá que estudiar con detenimiento el respectivo convenio de aplicación.

También consideramos esencial clarificar la diferencia entre un portero y un conserje, dado que a través de las definiciones ofrecidas por los distintos convenios colectivos estudiados, puede afirmarse que la diferencia básica entre ambos puestos de trabajo radica en que, a diferencia del conserje, el portero dispone de casa-habitación en el inmueble en que presta sus servicios.

237. El portero de la Comunidad ha sufrido un accidente en su vivienda que está ubicada en el ático del edificio. Nos indica que es un accidente de trabajo en función de lo que su asesor le ha informado. ¿Es cierto ello?

Es un tema en el que resulta difícil pronunciarse, ya que sí bien es cierto que hay sentencias en las que se considera accidente de trabajo el que le sucede al trabajador en su vivienda, si está situada en el centro de trabajo, no es menos cierto que para considerarlo accidente de trabajo establecen una relación directa con la actividad que se realiza, por lo que resulta muy difícil poder evaluar si el accidente es o no de trabajo y serán los tribunales los que se pronuncien al respecto, ya que hay, por otro lado, sentencias en sentido contrario que no consideran bajo ningún concepto, accidentes de trabajo los que han sucedido en la propia vivienda.

Así, habría que saber cual ha sido el accidente en concreto, horario en que se produjo, sus causas y la posible relación con el trabajo habitual del empleado de la Comunidad, lo que desconocemos.

238. ¿Es de aplicación la Ley de Prevención de Riesgos Laborales en las Comunidades de Propietarios?

La Ley de Prevención de Riesgos Laborales no excluye a las comunidades de su aplicación, por lo que, a sus efectos, se consideran una «empresa» que debe de cumplir con todas sus obligaciones preventivas, cuyo incumplimiento puede generar importantes responsabilidades.

12. CASOS PRÁCTICOS
Ejercicios resueltos, para facilitar la comprensión de los temas expuestos

239. CASO PRÁCTICO Nº 1

«ELEMENTOS COMUNES-UTILIZACIÓN PRIVATIVA»

EXPOSICIÓN:

La Comunidad de Copropietarios de la Plaza del Ayuntamiento nº 1, acuerdan por mayoría, conceder el permiso necesario al propietario de la puerta 1, para cubrir con planchas impermeables el patio de luces, para el uso y disfrute del mencionado propietario.

PREGUNTA:

¿Es correcta la actuación de la Comunidad?

RESPUESTA AL CASO PRÁCTICO Nº 1
ELEMENTOS COMUNES-UTILIZACIÓN PRIVATIVA

Que los patios son elementos comunes se desprende de la Ley (art. 396 del Código Civil) y para que los elementos comunes que lo sean por esencia o naturaleza puedan dejar de serlo, al trasformarse en partes privativas, se requiere que la Comunidad acuerde, por unanimidad, su desafección en Junta de Propietarios, lo que no excluye que el mero uso del patio pueda ser atribuido a la vivienda o local de la planta baja, sin menoscabo de su carácter y sin obstar a los demás condominios. Por ello no se pueden realizar en él obras sin previo acuerdo de la Junta.

La Ley 8/2013 ha tratado de flexibilizar el requisito de la unanimidad en la adopción de acuerdos, derogando, entre otros extremos, el artículo 12 LPH que disponía que «*la construcción de nuevas plantas y cualquier otra alteración de la estructura o fábrica del edificio o de las cosas comunes afectan al título constitutivo y de-*

ben someterse al régimen establecido para las modificaciones del mismo. El acuerdo que se adopte fijará la naturaleza de la modificación, las alteraciones que origine en la descripción de la finca y de los pisos o locales, la variación de cuotas y el titular o titulares de los nuevos locales o pisos».

Con todas las prudencias, dado que existen dudas doctrinales y atendiendo al citado espíritu flexibilizador de la norma, relativo a la unanimidad, entendemos que será suficiente el voto favorable de las tres quintas partes del total de los propietarios que, a su vez, representen las tres quintas partes de las cuotas de participación, para adoptar acuerdos para realizar innovaciones, nuevas instalaciones, servicios o mejoras no requeridos para la adecuada conservación, habitabilidad, seguridad y accesibilidad del inmueble, no exigibles, siempre y cuando, se cuente con el consentimiento de los posibles propietarios afectados, si dichas innovaciones hicieran inservible alguna parte del edificio para el uso y disfrute de un propietario y, desde luego no se modifique el Título Constitutivo en lo relativo a derechos u obligaciones, pues en este caso sería preciso la unanimidad en cumplimiento de lo preceptuado en el art. 17.6 LPH.

En el mismo orden de cosas es importante reseñar que, aunque los patios son elementos comunes, es posible que su uso y disfrute corresponda a algún copropietario en exclusiva. Tal posibilidad puede estar recogida en el título constitutivo o acordarse posteriormente. Se podrá usar el patio respetando siempre los derechos de los demás y el interés de la comunidad.

240. CASO PRÁCTICO Nº 2

«LA FIRMA DEL LIBRO DE ACTAS»

EXPOSICIÓN:

D. Evelio Cansino, en Junta General Ordinaria, ha sido nombrado Presidente de escalera por período de un año. Al recibir la documentación y el Libro de Actas por parte del Secretario, se sorprende, pues las actas transcritas en el libro de la Comunidad, sólo están firmadas por el Presidente y el Secretario.

PREGUNTA:

¿Es justificada la sorpresa del Sr. Cansino?

RESPUESTA AL CASO PRÁCTICO Nº 2
LA FIRMA DEL LIBRO DE ACTAS

Afortunadamente el legislador se encargó de aclarar esta controversia, pues el art. 19.3 de vigente LPH establece que «*El acta deberá cerrarse con las firmas del Presidente y del Secretario al terminar la reunión o dentro de los diez días naturales siguientes…*», postura refrendada por la STS 22-12-2009 *(Tol 1762162)*: «…*En verdad, la STS de 23 de enero de 1991 dice que la firma de los copropietarios asistentes a la Junta no está expresamente exigida por la Ley de Propiedad Horizontal, siendo en la praxis cotidiana de las Juntas, sobre todo en Comunidades numerosas, la costumbre de que sean firmadas las actas solamente por Presidente y Secretario; en contra de esta posición se sitúan las SSTS de 23 de junio de 1983 y 11 de noviembre de 1988. En la actualidad, no existe duda alguna: el Acta deberá cerrarse con las firmas del Presidente y del Secretario al terminar la reunión o dentro de los diez días naturales siguientes (artículo 19.3 de la Ley de Propiedad Horizontal, según la modificación de la Ley 8/1999, de 6 de abril)*».

241. CASO PRÁCTICO Nº 3

«DESPERFECTOS OCASIONADOS POR UN PROPIETARIO. SOLICITUD DE PERMISO»

EXPOSICIÓN:

En la Comunidad de propietarios de la C/. Colón, nº 5, han aparecido en la fachada del inmueble unas grietas presumiblemente producidas, por las obras llevadas a cabo por el propietario de uno de los bajos, al efectuar una excavación del subsuelo, para construir una entreplanta.

PREGUNTAS:

¿Deberá la Comunidad correr con el coste de la reparación?

Dado que las obras se han realizado en el interior de la planta baja: ¿era necesario el permiso en la Comunidad para la realización de las mismas?

RESPUESTAS AL CASO PRÁCTICO Nº 3
DESPERFECTOS OCASIONADOS POR UN PROPIETARIO-SOLICITUD DE PERMISO

Las obras efectuadas han afectado a la estructura y a elementos comunes del edificio, y, aunque entendiéramos que las mismas no modifican el título constitutivo, en cuanto a derechos y deberes, al menos hubiera sido necesario el permiso de la junta por mayoría de tres quintos de propietarios y cuotas siempre y cuando, se cuente con el consentimiento de los posibles propietarios afectados. No obstante, en el caso que nos ocupa, la Junta no ha acordado la realización de tales obras así que la actuación del propietario es ilegal y habrá de responder ante la comunidad de los daños causados.

Al respecto resulta muy significativa la STS 22-2-2005 *(Tol 598370)*: *«Bien claramente se advierte, pues, que el título constitutivo, referido a todo el solar, no contenía mención alguna de ningún espacio como subsótano al que se pudiera acceder desde el sótano, y por ello no cabe legitimar como elemento privativo de hecho lo que con arreglo a Derecho había de conceptuarse como elemento común, predicable asimismo de todo el resto del terreno situado al nivel del sótano pero sin excavar. De otro modo se llegaría al absurdo de que los propietarios de un edificio constituido en régimen de propiedad horizontal pudieran, después del otorgamiento del título correspondiente pero antes de haber vendido uno solo de los elementos privativos, practicar cualesquiera alteraciones en los elementos comunes no expresamente mencionados con tal carácter en el título para, así, apropiárselos irrevocablemente por vías de hecho, tal y como sucedió en el caso examinado mediante la excavación por debajo del nivel del sótano y la apertura de dos huecos que facilitaban el acceso desde éste pero a través de un muro o pared común.*

En consecuencia han de considerarse infringidas las normas citadas en ambos motivos según su interpretación por la jurisprudencia de esta Sala que reiteradamente declara el carácter de elemento común del suelo y el subsuelo y, lógicamente, de los muros (SSTS 27-5-93 en recurso nº 3132/90, 31-10-96 en recurso nº 104/93, con cita a su vez de otras muchas, y 10-5-99 en recurso nº 2761/94)».

242. CASO PRÁCTICO Nº 4

«INSTALACIONES: INSTALACIÓN DE AIRE ACONDICIONADO»

EXPOSICIÓN:

A varios propietarios de la Comunidad de Propietarios de la C/. de la Peineta nº 1, en Junta General Extraordinaria celebrada, en segunda convocatoria, les conceden permiso, aprobado por mayoría de tres quintas partes de propietarios y cuotas, para instalar un aire acondicionado en el patio de luces.

PREGUNTA:

¿Es correcta esta actuación?

RESPUESTA AL CASO PRÁCTICO Nº 4
INSTALACIONES: «INSTALACIÓN DE AIRE ACONDICIONADO»

Habría que estudiar la posible modificación en elementos comunes del edificio que, con anterioridad a la última reforma de la LPH, requería la aprobación unánime de la Junta de Propietarios.

Salvo casos puntuales en los que se modifica el Título Constitutivo, en relación con los derechos y obligaciones de los propietarios, el requisito de la unanimidad se ha flexibilizado bastando el voto favorable de las tres quintas partes del total de los propietarios que, a su vez, representen las tres quintas partes de las cuotas de participación, para adoptar acuerdos para realizar innovaciones, nuevas instalaciones, servicios o mejoras no requeridos para la adecuada conservación, habitabilidad, seguridad y accesibilidad del inmueble, no exigibles, siempre y cuando, se cuente con el consentimiento de los posibles propietarios afectados, si dichas innovaciones hicieran inservible alguna parte del edificio para el uso y disfrute de un propietario.

Es importante reseñar que la Jurisprudencia viene aceptando dicha instalación si se cumple un triple requisito:

Que el aparato no sea de grandes dimensiones
Que no afecte a la fachada principal
Que no cause molestias en ningún copropietario

243. CASO PRÁCTICO Nº 5

«ELEMENTOS COMUNES-INTERPRETACIÓN JUDICIAL»

EXPOSICIÓN:

El dueño de las plantas bajas de una Comunidad reclama, frente a la mencionada Comunidad, el derecho a usar el sótano como elemento privativo. El citado sótano alberga en la actualidad unos pozos para la común utilización del conjunto de propietarios. Ambas partes recurren al título constitutivo determinado por la escritura de obra nueva y división horizontal para constatar su naturaleza.

PREGUNTA:

Dicho sótano ¿es un elemento común o privativo?

RESPUESTA AL CASO PRÁCTICO Nº 5
ELEMENTOS COMUNES-INTERPRETACIÓN JUDICIAL

Puesto que en la actual redacción del art. 396 CC tampoco se mencionan los sótanos, es interesante apuntar el pronunciamiento del Tribunal Supremo en base a la antigua redacción *LPH «Aun cuando no se mencione "nominatim" al sótano de un edificio para su uso en propiedad horizontal como elemento común en el art. 396 del CC, ello no es óbice para considerarlo como tal, cuando responde, por su propia ubicación, a la contemplación comunal de tales elementos, ya que la enumeración de dicho precepto es únicamente a título indicativo y no de manera categórica con carácter de numerus clausus. La propia Sala ha formado su convicción partiendo de que, en primer lugar, la referencia al discutido sótano, debido a las circunstancias, no se hizo constar en el título constitutivo determinado por la escritura de obra nueva y división horizontal, por lo que no es posible, pues, recurrir a este instrumento de autenticidad respecto a la descripción de tales elementos comunes, y, por otra parte, dicho sótano alberga en la actualidad unos pozos para la común utilización del conjunto de propietarios, y a ello habrá de añadirse que por la propia ubicación de dicho sótano en el subsuelo del edificio, en principio, en tanto en cuanto no se acredite la expresa inclusión en el título correspondiente como tal elemento privativo, habrá de seguir el decurso general de que es un elemento al servicio de la Comunidad»* **(TS Sentencia de 6 de mayo de 1991).**

244. CASO PRÁCTICO Nº 6

«VALIDEZ ACUERDOS JUNTA GENERAL DE COPROPIETARIOS»

EXPOSICIÓN:

La Comunidad de propietarios de la C/. Lauria, nº 5 compuesta por 10 copropietarios con iguales cuotas de participación, se reunió el pasado mes de enero en Junta General celebrada en primera convocatoria. A la misma asistieron 3 copropietarios, los cuales aprobaron por una mayoría de 2 votos a favor y 1 en contra la renovación del actual Presidente.

PREGUNTA:

¿Es correcta la actuación?

RESPUESTA AL CASO PRÁCTICO Nº 6
VALIDEZ ACUERDOS JUNTA GENERAL DE COPROPIETARIOS

La actuación de la Comunidad no es correcta, dado que al celebrarse la Junta en primera convocatoria, no existe quorum para obtener la mayoría necesaria.

En estos casos en que no es posible obtener mayoría, el artículo 16.2 de la Ley prevé lo siguiente:

«...Si a la reunión de la Junta no concurriesen, en primera convocatoria, la mayoría de los propietarios que representen, a su vez, la

mayoría de las cuotas de participación, se procederá a una segunda convocatoria de la misma, esta vez sin sujeción a quórum».

Asimismo, el art. 17.7 de la LPH establece que: *«Para la validez de los demás acuerdos bastará el voto de la mayoría del total de los propietarios que, a su vez, representen la mayoría de las cuotas de participación. En segunda convocatoria serán válidos los acuerdos adoptados por la mayoría de los asistentes, siempre que ésta represente, a su vez, más de la mitad del valor de las cuotas de los presentes».*

245. CASO PRÁCTICO Nº 7

«APLICACIÓN-RECTIFICACIÓN DE CUOTAS»

EXPOSICIÓN:

Los gastos de la Comunidad de la C/. Sevilla nº 1 correspondientes al mes de septiembre, han sido los siguientes:

Conservación ascensor:	150
Limpieza de escalera:	60
Reparación grietas fachada:	900
Compra nuevo libro de actas:	20
Luz escalera:	90
Compra reja para el portal:	180

El inmueble está constituido por dos plantas bajas y cinco alturas, las cuales albergan dos pisos cada una. La cuota de participación de todos los pisos es del 6% y la de los bajos es del 20%.

El título constitutivo determinado por la escritura de obra nueva y división horizontal cita textualmente «las plantas bajas quedarán exoneradas de cualquier gasto generado por el patio-zaguán, la escalera, ascensor, así como por las terrazas».

PREGUNTA:

Calcular la liquidación del mes, indicando la cantidad que tendrá que abonar cada copropietario.

RESPUESTA AL CASO PRÁCTICO Nº 7
APLICACIÓN-RECTIFICACIÓN DE CUOTAS

Sres. Propietarios de las viviendas (Diez en total). Cada uno:

	GASTO 1	GASTO 2
Conservación ascensor	150	
Limpieza escalera	60	
Reparación grietas fachada		900
Compra de reja	180	
Luz escalera	90	
Compra libro de actas		20
TOTALES	**480**	**920**

920 X 6% = 55.2

480 X 10% = 48

Total a abonar por cada dueño de piso: **103.2**

Sr. Propietario del bajo 1 y 2:

	GASTO 1	GASTO 2
Conservación ascensor		
Limpieza escalera		
Reparación grietas fachada		900
Luz escalera		
Compra libro de actas		20
TOTALES	**0**	**920**

920 X 20% = 184

Total a abonar por cada dueño de los bajos: **184**

EXPLICACIÓN

– En la columna «Gasto 1» se incluirán aquellas partidas que deben pagar exclusivamente los propietarios de las viviendas, al quedar libres de su carga los propietarios de los bajos.

La cantidad resultante, 480 deberá ser repartida entre los propietarios de las viviendas variando su cuota de participación, ya que de no hacerlo así solo cubrirían el 60% del importe. Para ello se procede de la siguiente forma:

$$60 \underline{\hspace{3cm}} 100$$

$$6 \underline{\hspace{3cm}} X$$

X = 6 x 100/60 = 600/60 = 10% Cuota de participación rectificada.

480 x 10%= 48 / propietario.

– En la columna «Gasto 2», al ser un gasto común a todos los co-propietarios se aplicará la cuota de participación normal, sin rectificar, 6% para viviendas y 20% para cada uno de los bajos.

13. FORMULARIOS

MODELO DE SOLICITUD DE DILIGENCIAMIENTO DEL LIBRO DE ACTAS

D.........mayor de edad, vecino de.........con domicilio en......... n°......... con DNI ...., como.........*(Presidente, Administrador, etc.)* de la Comunidad de Propietarios del edificio sito en *(localidad)*, calle......... n°........., atentamente

EXPONE:

Que de conformidad con el art. 19.1 de la Ley de Propiedad Horizontal, acompaña a la presente el Libro de Actas de la Junta de Propietarios del edificio, sito en......... calle........., n°........., que constituye la finca registral número......... de la sección de.........obrante al folio......... del tomo........., libro......... del Archivo de ese Registro, solicitando su diligenciamiento.

En......... a......... de......... de.........

Fdo.........

SR. REGISTRADOR DE LA PROPIEDAD DE......... NÚMERO.........

MODELO DE REQUERIMIENTO A UN PROPIETARIO U OCUPANTE DE UN PISO O LOCAL QUE REALIZA ACTIVIDADES PROHIBIDAS POR LA LEY

Comunidad de Propietarios de.........*(indicar la dirección del inmueble de la Comunidad)*

En........., a......... de......... de.........

Muy Sr. mío:

Sirva la presente para comunicarle que en reiteradas ocasiones he recibido quejas referentes a que en el *(piso o local)* nº......... que Vd. ocupa, se vienen produciendo......... *(indicar la actividad o actividades en cuestión, tales como ruidos, vibraciones, música elevada, malos olores etc)*, que impiden el *(descanso, la buena convivencia, las mínimas condiciones de salubridad e higiene, etc.)* del resto de la comunidad, lo que constituye una infracción recogida en el art. 7º de la LPH.

Por todo ello me dirijo a Vd, para instarle a que tome las medidas que estime oportunas, de forma que cesen inmediatamente dichas actividades, advirtiéndole que en caso contrario, se procederá a dar conocimiento a la Junta de Propietarios, la que podrá acordar la imposición de una sanción económica *(en el caso de que esté previsto en los Estatutos o en el Reglamento de Régimen Interior)*, o incluso proceder contra Vd., por la vía judicial.

Con la confianza de que atenderá el presente requerimiento, le saluda atentamente,

Firmado: **El Presidente**

Recibí el original el día......... de.........
Firmado: **el propietario u ocupante del piso o local**

Sr. D......... calle......... nº......... local......... de.........(Nombre, apellidos y dirección del ocupante del piso o local)

MODELO DE NOTIFICACIÓN AL PRESIDENTE DE LA COMUNIDAD, POR PARTE DE UN PROPIETARIO, SOBRE LA REALIZACIÓN DE OBRAS EN UN ELEMENTO PRIVATIVO

Sr. D......... *(El Propietario)*
calle......... nº.........
de.........

Muy Sr. mío:

Cumpliendo lo dispuesto en el artículo 7º, párrafo 1º, de la Ley de Propiedad Horizontal, le notifico que me dispongo a realizar en el piso de mi propiedad situado en esta finca, las obras que describo seguidamente:

1.-..

2.-.................. *(especificar las obras a efectuar)*..................

3.-..

Estas obras no menoscaban ni alteran la seguridad del edificio, su estructura general, su configuración o estado exterior ni perjudican los derechos de otro propietario. Todo lo expuesto en el presente escrito podrá ser ratificado por Vd. personalmente, o bien por el técnico que estime conveniente.

Sin otro particular reciba un cordial saludo.

En......... a......... de.........

Firmado: **EL PROPIETARIO**

Sr. D......... Presidente de la Comunidad de Propietarios de (calle).........nº......... de.........

MODELO DE AUTORIZACIÓN PARA SER REPRESENTADO EN LA JUNTA DE COPROPIETARIOS

D......... propietario del piso sito en la calle......... nº........., de acuerdo con lo estipulado en el artículo 15.1 de la Ley de Propiedad Horizontal, autorizo y delego a D.........(nombre apellidos y DNI) para que en mi nombre y representación acuda a la Junta General......... *(Ordinaria o Extraordinaria)*, que tendrá lugar el día........., pudiendo intervenir en mi nombre y con las facultades de voz y voto que según la Ley me corresponden como propietario.

En......... a......... de......... de.........

Firmado: **El propietario que otorga la representación.**

MODELO DE CONVOCATORIA DE JUNTA ANUAL ORDINARIA

Por la presente le convoco a Vd., en cumplimiento del artículo 16 de la Ley de Propiedad Horizontal, a la Junta General Ordinaria de la Comunidad de Propietarios de........., que se celebrará el......... *(especificar día, mes y año, así como día de la semana)*, a las......... horas, en primera convocatoria, y a las......... horas, en segunda convocatoria *(como mínimo deberá transcurrir media hora de diferencia entre la primera y la segunda convocatoria)*, en el.........*(piso, local social, zaguán, etc.)* con arreglo al siguiente:

ORDEN DEL DÍA

1º. Lectura y aprobación, en su caso, del Acta de la junta anterior.

2º. Aprobación del presupuesto anual de gastos previsibles y del estado de cuentas de la Comunidad.

3º..

4º..

5º. Ruegos y preguntas.

Asimismo, se le informa que en cumplimiento del art. 16.2 LPH, la relación de propietarios que no están al corriente en el pago de las deudas vencidas a la comunidad y que, por tanto, están privados del derecho de voto en los supuestos previstos en el art. 15.2 LPH es:

Sr. D.........(indicar nombre y apellidos de los propietarios deudores)

En......... a......... de......... de.........

Firmado: **EL PRESIDENTE.**

Precisiones al respecto:

– La citación se deberá hacer, cuando menos, con seis días de antelación.

– Es conveniente realizar las dos convocatorias al objeto de poder garantizar la toma de acuerdos. Entre una convocatoria y la siguiente tendrá que transcurrir un intervalo mínimo de media hora.

– Dentro del orden del día se incluirán todos los apartados que el Presidente estime oportunos o que cualquier propietario haya solicitado claramente y por escrito dirigido al Presidente.

MODELO DE CONVOCATORIA DE JUNTA GENERAL EXTRAORDINARIA

Ruego a Vd. acuda a la Junta General Extraordinaria, que celebrará la Junta de Propietarios de......... el próximo.........*(especificar día, mes y año, así como día de la semana)* a las......... horas en primera convocatoria, y a las......... horas en segunda convocatoria *(como mínimo deberá transcurrir media hora de diferencia entre la primera y la segunda)*, y que tendrá lugar en.........*(indicar el lugar donde se va a realizar)*.........a fin de tratar los siguientes puntos del

ORDEN DEL DÍA

1º. Lectura y aprobación, en su caso, del Acta de la junta anterior.

2º..

3º..

4º. Ruegos y preguntas.

Asimismo, se le informa que en cumplimiento del art. 16.2 LPH, la relación de propietarios que no están al corriente en el pago de las deudas vencidas a la comunidad y que, por tanto, están privados del derecho de voto en los supuestos previstos en el art. 15.2 LPH es:

Sr. D.........(indicar nombre y apellidos de los propietarios deudores).

De no poder asistir personalmente, puede delegar su representación a la persona que estime conveniente, realizando a tal efecto la autorización correspondiente.

En......... a......... de......... de.........

Firmado: **EL PRESIDENTE**

Precisiones al respecto:

– La citación deberá hacerse con la antelación suficiente para que pueda llegar a conocimiento de todos los interesados.

– Es conveniente realizar las dos convocatorias al objeto de poder garantizar la toma de acuerdos. Entre una convocatoria y la siguiente tendrá que transcurrir un intervalo mínimo de media hora.

– Dentro del orden del día se incluirán todos los apartados que el Presidente estime oportunos o que cualquier propietario haya solicitado claramente y por escrito dirigido al Presidente.

MODELO DE CONVOCATORIA DE UNA JUNTA EXTRAORDINARIA, EFECTUADA POR PARTE DE LOS COPROPIETARIOS DE LA COMUNIDAD, EN DEFECTO DEL PRESIDENTE

Los abajo firmantes, integrantes de la Comunidad de Propietarios de........., siendo la cuarta parte de los propietarios y cuyas cuotas de participación sumadas ascienden al 25 por ciento de la totalidad *(Como mínimo)* y a falta de Presidente, le convocan a Vd. según lo dispuesto en el artículo 16, párrafo segundo, de la Ley de Propiedad Horizontal, a la Junta General Extraordinaria que tendrá lugar el.........*(indicar día, mes y año, así como día de la semana)*, a las......... horas, en primera convocatoria, y a las......... horas en segunda convocatoria *(como mínimo deberá transcurrir media hora de diferencia entre la primera y la segunda convocatoria)*, en.........*(indicar lugar donde se va a celebrar)*........., con arreglo al siguiente

ORDEN DEL DÍA:

1º. Lectura y aprobación, en su caso, del Acta de la junta anterior:

2º..

3º..

4º. Ruegos y preguntas

Asimismo, se le informa que en cumplimiento del art. 16.2 LPH, la relación de propietarios que no están al corriente en el pago de las deudas vencidas a la comunidad y que, por tanto, están privados del derecho de voto en los supuestos previstos en el art. 15.2 LPH es:

Sr. D.........(indicar nombre y apellidos de los propietarios deudores)

En......... a......... de......... de.........

Firmado: **Los propietarios que son al menos la cuarta parte del total o cuyas cuotas ascienden, como mínimo, al 25%.**

MODELO DE ACTA DE JUNTA CELEBRADA POR LA COMUNIDAD DE PROPIETARIOS

En.........*(localidad)* a......... *(especificar día, mes y año)* siendo las......... horas en primera convocatoria y a las......... horas en segunda convocatoria en......... *(especificar el lugar donde se celebró)*, se reúnen los copropietarios de la Comunidad de.........(Calle y número) que al margen se relacionan *(En el margen o bien al final del Acta habrá que relacionar los asistentes y sus respectivos cargos, así como los propietarios representados, con indicación de sus cuotas de participación)* en Junta General......... *(indicar si es ordinaria o extraordinaria)*, con el siguiente

ORDEN DEL DÍA:

PRIMERO.- Lectura y aprobación *(si procede)* del Acta anterior.

SEGUNDO.-...

TERCERO.- ....

(Será necesario indicar todos los puntos que figuraban en el orden del día y los acuerdos adoptados, con indicación, en caso de que ello fuera relevante para la validez del acuerdo, de los nombres de los propietarios que hubieren votado a favor y en contra de los mismos, así como de las cuotas de participación que respectivamente representen. Asimismo habrá que indicar la relación de propietarios a los que se le ha privado del derecho de voto, en virtud del art. 15.2 LPH).

RUEGOS Y PREGUNTAS:......... *(Se indicarán todas aquellas sugerencias, cuestiones, quejas y demás puntualizaciones realizadas por cualquier propietario).*

Y no habiendo más asuntos que tratar se levanta la sesión siendo las......... horas del día antes citado.

Vº Bº
EL PRESIDENTE   **EL SECRETARIO**

PROPIETARIOS PRESENTES:

PROPIETARIOS REPRESENTADOS:

PRIVADOS DEL DERECHO DE VOTO:

Hay que indicar todos los propietarios que acudieron, así como los representados los propietarios privados del derecho de voto, tanto presentes como ausentes. También sería conveniente que todos los presentes firmaran el Acta.

MODELO DE SUBSANACIÓN ERROR O DEFECTO EN ACTA DE LA JUNTA DE PROPIETARIOS (art. 19.3 LPH)

SUBSANACIÓN DE DEFECTOS O ERRORES DEL ACTA DE FECHA......

En el acta de la junta general.........(ordinaria o extraordinaria), de fecha........., transcrita en el libro de actas en las páginas......... y siguientes, junta que se celebró en.........(indicar lugar), con la asistencia de los propietarios, presentes y representados, que al margen se relacionan y firmada por el presidente y el secretario, se adoptaron los siguientes acuerdos:

1........., aprobado por......... votos a favor y.........% de cuotas de participación, y con........ votos en contra con.........% de cuotas de participación y......... abstenciones con un.........% de cuotas de participación.

2.........(indicar todos los acuerdos aprobados especificando los votos detalladamente como figura en el punto anterior, e indicando si fuese preciso el nombre de los propietarios que votaron en uno u otro sentido).

Habiéndose apreciado los siguientes errores materiales en la transcripción del acta:

– en el acuerdo n°........., donde dice........., debe decir.........

– en el acuerdo n°........., donde dice n° de votos favorables......... y.........% cuotas de participación, debe decir.........

Se rectifica el acta de fecha ...., páginas .... teniéndose en cuenta que las precedentes rectificaciones no alteran (o alteran), el resultado de la votación o........., por lo que deberá estarse al resultado de la siguiente reunión de la junta de propietarios que deberá ratificar las subsanaciones citadas.

Y para que así conste, firmo la presente subsanación de errores del acta antedicha con el visto bueno del Sr. Presidente en......... a......... de......... de.........

V°B°
EL PRESIDENTE   EL SECRETARIO

MODELO DE ACTA POR LA CUAL LA JUNTA APRUEBA LA CONSTITUCIÓN DEL FONDO DE RESERVA

En......... (localidad) a......... (especificar día, mes y año) siendo las......... horas en primera convocatoria y las......... horas en segunda convocatoria en......... (indicar el lugar donde se celebró), a instancia del Sr. Presidente de la Comunidad (o de quien o quienes promovieran la reunión), se reúnen los copropietarios de la Comunidad de......... (Calle y número) que al margen se relacionan, con indicación expresa de aquellos a los que, asistiendo, se les priva del derecho de voto, de acuerdo con el art. 15.2 LPH (En el margen o bien al final del Acta habrá que relacionar los propietarios que asistieron, indicando el número de puerta o local, su cuota de participación, los que acudieron representadas y los asistentes sin derecho a voto) en Junta General......... (indicar si es ordinaria o extraordinaria), con el siguiente

ORDEN DEL DÍA:

PRIMERO. Lectura y aprobación (si procede) del Acta anterior.

SEGUNDO. *Constitución del fondo de reserva.* En cumplimiento de lo establecido en el art. 9.1 f) de la Ley de Propiedad Horizontal, se procede en la presente Junta General a la constitución del fondo de reserva para atender a las obras de conservación y reparación de la finca.

Se ha debatido la conveniencia o no de dotar dicho fondo con la cantidad mínima establecida por la ley, esto es, el 2.5% del presupuesto ordinario de la comunidad durante el primer año.

El Sr. Administrador ha propuesto que se dote al fondo con una cantidad equivalente a un 7% del último presupuesto ordinario. Sometida dicha propuesta a votación de los condueños, ha sido aprobada por mayoría. Se han manifestado en contra los propietarios de los pisos nº 15 y 19, cuyas cuotas de participación suman el 12% del total.

La dotación del fondo de reserva se revisará anualmente, pudiendo ser objeto de incremento o disminución, siempre respetando el mínimo legal del 5% del último presupuesto ordinario.

RUEGOS Y PREGUNTAS:.........

Y no habiendo más asuntos que tratar se levanta la sesión siendo las......... horas del día antes citado.

Vº Bº
EL PRESIDENTE   EL SECRETARIO

PROPIETARIOS PRESENTES:.........

PROPIETARIOS REPRESENTADOS:.........

PROPIETARIOS SIN DERECHO A VOTO:.........

(Es conveniente que todos los presentes firmen el Acta)

CERTIFICACIÓN ACUERDO JUNTA LIQUIDACIÓN DE DEUDAS

D........., mayor de edad, administrador de fincas colegiado n°........., con domicilio a efectos de notificaciones y citaciones en......... -......... (.........) y en su calidad de Secretario Administrador de la Comunidad de Propietarios.........,

CERTIFICA:

Que en la Junta General.........(Ordinaria o Extraordinaria) de la Comunidad, celebrada el pasado día......... de......... de........., en......... (Indicar lugar), se adoptó, entre otros, el siguiente acuerdo que se transcribe literalmente:

«.........» *(Transcribir el acuerdo del acta en su tenor literal o, si fuera muy extenso, extractarlo indicando, en todo caso, nombre y apellidos del propietario, la descripción de su propiedad y la cuantía exacta de su deuda, con los conceptos que la originan).*

Demandar a D........., propietario de la vivienda (local) n°........., por un importe total de.........€ *(Expresar la cantidad en letra)*, cuantía que se desglosa en los siguientes conceptos y cantidades:

....

....

Y para que así conste, firmo la presente certificación con el visto bueno del Presidente en........., a......... de......... de.........

V°B°
EL PRESIDENTE   EL SECRETARIO

CERTIFICACIÓN DE DEUDA NEGATIVA

D........., administrador de fincas colegiado núm........., con DNI........., y domicilio a efectos de notificaciones en........., Cl........., en su calidad de Secretario-Administrador de la Comunidad de Propietarios........., y a requerimiento de D........., propietario de la vivienda nº......... de la citada Comunidad,

CERTIFICA:

Que no existe deuda pendiente, por ningún concepto, de la vivienda descrita, propiedad de D........., al día de la fecha, salvo la parte vencida del trimestre en curso.

Que la vivienda indicada tiene un fondo de maniobra de......... €. aportadas a la Comunidad, en su día por el actual propietario anteriormente indicado.

Y para que conste, a los efectos oportunos de transmisión de la propiedad, se emite la presente certificación en la ciudad de........., a......... de......... de........., dentro del plazo obligado por la LPH en su artículo 9.1.f), de siete días desde su solicitud, y con el visto bueno del Presidente de la Comunidad.

VºBº
EL PRESIDENTE   EL SECRETARIO

CERTIFICACIÓN DE DEUDA POSITIVA

D........., administrador de fincas colegiado núm........., con DNI........., y domicilio a efectos de notificaciones en........., Cl........., en su calidad de Secretario-Administrador de la Comunidad de Propietarios........., y a requerimiento de D........., propietario de la vivienda n°......... de la citada Comunidad,

CERTIFICA:

Que la citada vivienda y en concreto su propietario D........., con DNI. núm........., tiene pendiente de pago los siguientes recibos, por los conceptos y fechas que se detallan a continuación:

Recibo 3° T. 98, por importe de......... €

Recibo 4° T. 98, por importe de......... €

etc.........

Que el fondo de maniobra del propietario de la vivienda citada, depositado en la cuenta corriente de la Comunidad, asciende a.............. €

Que el saldo a favor de la Comunidad asciende en el día de la fecha en que se emite el presente certificado a la cantidad de......... €, tras descontar de la deuda pendiente el importe del fondo de maniobra.

Y para que conste, a los efectos oportunos de transmisión de la propiedad, se emite la presente certificación en la ciudad de........., a......... de......... de........., dentro del plazo obligado por la LPH en su artículo 9.1.f), de siete días desde su solicitud, y con el visto bueno del Presidente de la Comunidad.

V°B°
EL PRESIDENTE   EL SECRETARIO

MODELO DE NOTIFICACIÓN FEHACIENTE AL PROPIETARIO QUE NO ASISTE A UNA JUNTA

D.........
C/......... n°.........
Población:.........

Sr. D.........
C/......... n°.........
Población:.........

Comunidad de Propietarios de.........

En........., a......... de......... de.........

Muy Sr. mío:

Por la presente, la acompaño copia literal del Acta de la Junta General......... (Ordinaria o Extraordinaria), de la Comunidad de Propietarios......... que tuvo lugar a las......... horas *(en primera o segunda convocatoria)*, del pasado día......... de......... de........., dando así cumplimiento al art. 19.3 de la vigente Ley de Propiedad Horizontal.

Por otra parte, sirva la presente para notificarle, en cumplimiento del artículo 17.8° de la LPH, que en la citada Junta, a la que Vd. no asistió, pese a estar debidamente citado, se adoptaron los siguientes acuerdos:

1°.........

2°.........

(Hay que reflejar todos los acuerdos, y la clase de mayoría, simple, de 1/3, 3/5 o por unanimidad, por la que se aprobaron).

Asimismo se le informa de que los acuerdos......... y......... aquí, relacionados, de acuerdo con el art. 17.8° LPH, le vincularán expresamente, siendo computado su voto como favorable a los mismos, de conformidad con lo legalmente previsto en la Ley si, en el plazo de treinta días naturales, a partir de la recepción de la presente notificación, no manifiesta Vd. su discrepancia, de forma fehaciente, al Secretario de la Comunidad.

Le ruego tenga a bien firmar el duplicado de la presente, para la correspondiente constancia y archivo de la Comunidad.

Sin otro particular, le saluda, atentamente

Firmado: **El Presidente**

Recibí el original el......... de.......... de.........

Firmado: **El propietario**

NOTIFICACIÓN EN TABLÓN DE ANUNCIOS, AL PROPIETARIO AUSENTE

Comunidad de Propietarios
CL.........
Población.........

Sr. D........., Propietario de la
vivienda n°......... de la Cl.........
n°........., en......... (Población).

En......... a......... de......... de.........

Muy Sr. mío:

Por la presente le comunico que, habiendo intentado notificarle los acuerdos de la Junta General Ordinaria de la Comunidad de Propietarios........., en el domicilio que consta en nuestros archivos, la misma ha sido infructuosa, habiéndose devuelto por el servicio de correos la carta remitida a Vd., certificada y con acuse de recibo.

Asimismo, habiéndose intentado la notificación precedente en su domicilio en la Comunidad citada, tampoco ha sido posible, al no encontrar, tras reiteradas visitas a la vivienda, a ocupante alguno.

Por ello, y en virtud del art. 9.1.g) de la LPH, procedo a notificarle, con el visto bueno del Presidente, mediante la colocación en el día de la fecha y en el tablón de anuncios de la Comunidad, la presente carta, con los Acuerdos de la Junta General Ordinaria de la Comunidad de Propietarios.........

(A continuación una copia del acta y los acuerdos específicos que le vinculan, con su voto favorable, detallándolo. Ver modelo ACTA).

Le comunico que la presente notificación producirá plenos efectos jurídicos en el plazo de tres días naturales, a partir del día de la fecha, constando el visto bueno del Sr. Presidente en cumplimiento de la legislación vigente.

V°B°
EL PRESIDENTE   EL SECRETARIO

COMUNICACIÓN AL SECRETARIO DE LA COMUNIDAD DEL CAMBIO DE TITULARIDAD DE LA VIVIENDA O LOCAL

Sr. D.........
Cl.........
Población.........

Al Sr. Presidente (Secretario o Administrador) de la Comunidad de Propietarios c/.........
Población.........

En......... a......... de......... de.........

Muy Sr. mío:

Por la presente le comunico que el día......... de......... de........., vendí la vivienda de mi propiedad (o local) sita en la Comunidad de Propietarios........., según documento......... (público o privado; si es público especificar datos escritura).

El comprador/a es D./Dª........., con DNI, núm........., con domicilio en......... Cl........., nº......... y teléfono de contacto.........

Lo que le traslado a los efectos de prevenir lo indicado en el art. 9.i) de la vigente Ley de Propiedad Horizontal.

Sin otro particular, le saluda, atte.

Fdo.: El ex-propietario

(Debe remitirse por conducto notarial o, en su defecto, mediante carta certificada con acuse de recibo o fax, siempre que se deje constancia de su recepción).

NOTIFICACIÓN PROPIETARIO MOROSO. (Art. 21.2 LPH)

D.........
Secretario Administrador
Cl......... n°.........
Población.........

Sr. D.........
CL......... n°.........
Población.........

En......... a......... de......... de.........

Muy Sr. Mío:

En la pasada Junta General......... (Ordinaria o Extraordinaria) de la Comunidad de Propietarios........., de fecha........., se adoptó, entre otros acuerdos, el siguiente:

Proceder a interponer una demanda contra Vd., como propietario de la vivienda (local) n°........., por un importe total de €......... (Expresar la cantidad en letra), por los siguientes conceptos y desglose:

....

....

Lo que le notifico a Vd. por los medios legales establecidos en el art. 9.1.h) de la LPH, para dar cumplimiento a lo exigido en el art. 21.2 LPH, como requisito previo a la demanda.

Si desea liquidar la deuda pendiente antes de que se interponga la correspondiente demanda, puede hacerlo Vd. en este despacho, en horario de........., y en el plazo máximo de cinco días desde la recepción de la presente.

A la espera de sus noticias, le saluda, atentamente,

Fdo.: El secretario

Recibí:

Fecha:

Fdo.: El propietario

[Se seguirá el procedimiento de notificación del art. 9.1.h) de la LPH].

COMUNICACIÓN DEL DOMICILIO AL SECRETARIO A EFECTOS DE NOTIFICACIONES

Sr. D.........
Cl.........
Población.........

Al Sr. Secretario de la Comunidad de Propietarios Cl.........
Población.........

En......... a......... de......... de.........

Muy Sr. Mío:

En cumplimiento con lo dispuesto en el artículo 9 h) de la Ley de Propiedad Horizontal, a continuación le indico el domicilio al que deben remitirme todas las citaciones y notificaciones relacionadas con la Comunidad:

Cl.........

Población.........

Sin otro particular, le saluda, atte.

Fdo.: El propietario

Recibí:

Fecha:

Fdo.: El Secretario

14. RECOMENDACIONES PARA EL FUNCIONAMIENTO DE UNA COMUNIDAD

Consejos recogidos de la experiencia, a través de los años, de la administración cotidiana en diversas Comunidades de Propietarios

RECOMENDACIONES

1ª.- Antes de comprar la vivienda averiguar, si es nueva, cuales son las cargas o gravámenes que puede tener por hipotecas, embargos, etc. el constructor o promotor. En el caso de que sea de segunda mano, además de realizar lo antedicho en el Registro de la Propiedad, si la compra de la vivienda se realiza en escritura pública, el transmitente o vendedor deberá declarar hallarse al corriente en el pago de los gastos generales de la comunidad o expresar los que adeude y, para ello, obligatoriamente deberá aportar una certificación sobre el estado de las deudas emitida por el Secretario-administrador, con el visto bueno del Presidente. No hay que olvidar que el nuevo comprador responde, con el propio inmueble, del pago de los gastos generales (incluidas posibles derramas) de la parte vencida de la anualidad correspondiente y de los tres años inmediatamente anteriores, según recoge la nueva redacción de la LPH en su art. 9.1.e). tercer párrafo.

El Notario que realice la escritura de compra-venta debe exigir al vendedor la certificación sobre el estado de las deudas (aunque ahora puede solicitarlas directamente al administrador, si está colegiado), para tener la certeza de que no existen o que, de existir, están perfectamente cuantificadas.

Aún hoy se ven escrituras de compra-venta de inmuebles en las que el Notario refleja en ellas determinados párrafos que luego generan muchos problemas al comprador. Por ejemplo: *«El vendedor manifiesta en este acto que transmite la vivienda (o local) libre de cargas y gravámenes».* Puede ser error, despiste o mala fe por parte del vendedor pero el Notario se cura en salud reflejando en la escritura el párrafo anterior y si después hay alguna carga, el responsable será exclusivamente el vendedor. ¿Cuál es el problema? Que si se adeudan de uno a tres años de gastos, además del año en curso, el comprador está obligado a pagarlos, respondiendo con la vivienda (o local) y luego exigirlo al vendedor por la vía judicial, con el riesgo de que sea insolvente. Pérdida de tiempo y dinero que se evitan con la certificación correspondiente y, en caso de existir deuda, descontarla de la parte que se le va a pagar al vendedor, resolviendo así cualquier contingencia.

2ª.- Obtener tanto la escritura de la vivienda, que se consigue en el acto de la compra-venta y que habitualmente entrega el Notario, al menos una copia simple, como también el título constitutivo, ante el Registro de la Propiedad, en el que se reflejan todas las normas para la regulación de la Comunidad, e incluso los Estatutos si el promotor o constructor los incluyó en la propia Declaración en el momento de la inmatriculación ante el Registro de la Propiedad. Con ambos documentos puede controlarse perfectamente la repartición de los gastos, exenciones, su proporción de reparto a cada propietario y, de estar incluidos los Estatutos, la reglamentación de la vida comunitaria. Son fundamentales para el desarrollo posterior de las relaciones vecinales.

3ª.- Comprada la vivienda, si es nueva, hay que ponerse de acuerdo con el resto de los copropietarios para constituir la Comunidad de Propietarios, convocando la Junta correspondiente según lo estipulado por la Ley, en la que debe nombrarse un Presidente, un Secretario y un Administrador. Es conveniente nombrar también a uno o varios vicepresidentes, lo que ya recoge la normativa aunque de forma ocasional en el art. 13.1.b) LPH cuando, refiriéndose a los Órganos de Gobierno de una Comunidad señala en el referido punto: El presidente y, en su caso, los vicepresidentes.

Puesto que el Presidente es la persona que ostenta legalmente la representación de la Comunidad, en juicio y fuera de él, en todos los asuntos que la afecten (art. 13.3 LPH, literal) conviene que, aunque el nombramiento de vicepresidentes sea facultativo (art. 13.4 LPH), todas las Comunidades nombren a uno, al menos, con los mismos poderes que el Presidente, para cubrir las posibles ausencias de éste, por cualquier motivo (Enfermedad sobrevenida, accidente grave, desplazamientos prolongados, etc).

4ª.- Nombrar a un Administrador de fincas colegiado que se encargará de todos los trámites necesarios para regular la vida de la Comunidad, en estrecha relación con el Presidente y/o la Junta Rectora, si la hubiere.

Es fundamental que el profesional contratado sea un administrador de fincas colegiado, ya que su colegiación permite un control deontológico por el respectivo Colegio, además de dotar al interesado de la formación e información necesarias y en permanente estado de actualización, en tiempo real, para dar el adecuado servicio a las Comunidades de Propietarios que aquel administre.

5ª.- Legalizar el Libro de Actas de la Comunidad para reflejar todos los acuerdos que se deriven de las Juntas, Ordinarias o Extraordinarias que la Comunidad celebre. El libro debe legalizarse o diligenciarse ante el Registrador de la Propiedad que corresponda en función de la ubicación del inmueble, según el art. 19.1 LPH.

6ª.- Legalizar la Comunidad ante la Delegación de Hacienda correspondiente, obteniendo el Código de Identificación Fiscal a efectos de control y facturación de proveedores, así como posibles contrataciones, bien de personal al servicio de la Comunidad, o de cualquier otro tipo de servicios.

7ª.- Tramitar de inmediato un seguro de la Comunidad, que al menos cubra la responsabilidad civil comunitaria e incendio, por un importe que asegure cualquier contingencia que pueda derivarse de siniestros comunitarios, sin que afecte económicamente a los copropietarios. Si hay posibilidades, el seguro debe ser multirriesgo, cubriendo además de la responsabilidad civil comunitaria, la responsabilidad civil privada, el incendio, los daños por agua, tanto de instalaciones privativas como comunitarias, y cualquier otro tipo de cobertura que pueda interesar, en función de la ubicación, condiciones y necesidades del edificio.

Tal como establece el art. 9.1 f) LPH, dicho seguro puede suscribirse con cargo al fondo de reserva.

8ª.- Establecer, si no se dispone de él, de un «Libro del Edificio» o «Libro de la Comunidad», en el que debe contemplarse cualquier dato que sirva para el perfecto mantenimiento del inmueble, ascensores, grupo de presión, instalaciones, marcas, modelos, fechas de revisiones, empresas de mantenimiento, fechas de contratación de personal, vencimientos de cualquier índole, etc.; servirá para un mejor control de cualquier incidencia posterior que pueda producirse.

9ª.- Recoger de forma muy esquemática, en un cuaderno aparte que podría llamarse «cuaderno de acuerdos», todos los acuerdos que se producen en la Comunidad que pueden vincular a largo plazo a los copropietarios, y cuyo control puede resultar difícil a lo largo del tiempo si el Libro de Actas recoge las actas de forma enrevesada, con letra cuya lectura resulte complicada o sin especificar detalladamente los distintos puntos del orden del día.

Para ello, en un cuaderno dedicado ex profeso a este menester, se reflejarán seis columnas:

J	FECHA	ACUERDO	VOTACIÓN	FIRMEZA	TIPO
O	20/XII/14	Nombramiento Presidente Arcediano Luainez	Unanimidad	23/II/15	1
E	04/III/15	Reparación bajantes escalera izquierda	Mayoría		2

La primera (J) para indicar si la Junta fue Ordinaria o Extraordinaria, la segunda para la fecha, la tercera columna, más ancha, para reflejar el acuerdo de forma muy concisa, la cuarta columna el reflejo de la votación, la quinta la fecha de firmeza del acuerdo, una vez transcurridos los plazos de posible impugnación a partir de la comunicación a los propietarios ausentes y finalmente el tipo de acuerdo, estableciendo cinco tipos para clasificar los acuerdos que se produzcan y así sea más fácil su identificación:

1.- Nombramientos y remociones de Presidentes, Secretarios y Administradores.

2.- Reparaciones, ordinarias, extraordinarias, cambio de empresas de mantenimiento.

3.- Acuerdos referidos al personal al servicio de la comunidad y los servicios que se contraten, esporádicos o habituales (vigilancia, limpieza, etc.).

4.- Acuerdos relativos a estatutos, reglamentación régimen interior, normas de policía, etc.

5.- Acuerdos varios, no incluidos en los cuatro puntos anteriores.

10ª.- Convocar correctamente a las Juntas, para evitar anulaciones de acuerdos derivadas de impugnaciones, por defectos de forma. Así, no olvidar que si la Junta es Ordinaria, se deberá convocar, por lo menos, con seis días de antelación, y si es Extraordinaria debe convocarse con el tiempo imprescindible para que pueda llegar a conocimiento de todos los interesados.

Cuando se habla de plazos y, concretamente de días, salvo que se especifique que son naturales, nos estamos refiriendo a días hábiles, contados de lunes a sábado y descontando los domingos y festivos de cada localidad. Hay que tenerlo presente, sobre todo a la hora de convocar la Junta General Ordinaria.

Además, la convocatoria debe realizarse por el Presidente o, en su defecto, por los promotores de la reunión, especificando de forma clara los siguientes puntos: los asuntos a tratar y el lugar, día y hora en que se celebrará la Junta, en primera o, en su caso, en segunda convocatoria que podrá realizarse el mismo día, si ha transcurrido media hora desde la primera convocatoria (art. 16.2 LPH). La convocatoria contendrá una relación de los propietarios que no estén al corriente en el pago de las deudas vencidas a la comunidad y advertirá de la privación del derecho de voto si se dan los supuestos legales para ello.

11ª.- A la hora de adoptar los acuerdos, tener presente que su aprobación sea consecuencia de su inclusión en el orden del día, que se tenga muy en cuenta cuales pueden aprobarse por unanimidad y cuales por mayoría, y finalmente que la mayoría que apruebe los acuerdos sea legal en función de la convocatoria (primera o segunda), número de propietarios en relación con el total y porcentaje acumulado de las cuotas de participación de los propietarios asistentes, según se explica en el capítulo segundo.

12ª.- La transcripción de los acuerdos al Libro de Actas debe ser concisa y nítida, para facilitar su compresión y aplicación posterior.

Se deberá evitar, por tanto, que las actas sean farragosas y deberán recoger, exclusivamente, los aspectos más reseñables de la Junta y la adopción de los acuerdos con la votación pertinente.

En ningún modo debe reflejarse todo lo que sucede, desde el principio hasta el final, si no existe una justificación para su inclusión ya que, posteriormente, leer un acta de estas características es un proceso lento, que llena el libro de actas inútilmente y cuya contemplación no sirve para mucho, salvo acumular literatura, por otra parte, innecesaria.

13ª.- Aunque suponga un coste añadido para la Comunidad, al ser el último en la cadena impositiva, todas las facturas —de cualquier gasto que se realice en la Comunidad— deben ser legales y llevar, por tanto, el correspondiente IVA.

No es una recomendación gratuita, por cuanto, en primer lugar la Comunidad, actuando de esta forma, se encuentra siempre dentro de la legalidad, no ampara servicios afectados por trabajadores clandestinos y por otro lado se garantiza, con una facturación legal, que el proveedor o prestador del servicio que la emite está legalmente instalado, dado de alta, lo que garantiza mínimamente poder plantearle cualquier reclamación posterior a la prestación de su servicio.

14ª.- Es importante llevar la contabilidad de la comunidad, aunque sea de forma sencilla, de manera que se pueda controlar en todo momento el gasto que se genera, en relación con el fondo existente para poder funcionar y los recibos pendientes de cobro. En este sentido es muy importante llevar un control o registro de recibos impagados mediante un listado del que se irán tachando aquellos que se van cobrando, con lo que en todo momento se controlará la situación económica de la comunidad. Actualmente, los programas informáticos que utilizan los profesionales están perfectamente diseñados para prestar este tipo de ayudas.

15ª.- Los copropietarios morosos afortunadamente no suelen ser muchos, aunque lo importante es la cuantía de los recibos pendientes que, para un correcto funcionamiento, nunca deben sobrepasar un porcentaje del fondo de reserva, que no puede fijarse taxativamente, pero que debe tener una estrecha relación con la cuantía del mismo y con el número de recibos impagados por término medio.

La morosidad debe cortarse de raíz para evitar que prolifere. La LPH, en su art. 21, establece un procedimiento judicial para facilitar el cobro de las cantidades adeudadas a la comunidad. Se requiere una previa certificación del acuerdo de la Junta, aprobando la liquidación de la deuda, con la comunidad de propietarios por quien actúe como Secretario de la misma, con el visto bueno del Presidente, siempre que tal acuerdo haya sido notificado a los propietarios afectados. El proceso comenzará por demanda sucinta, a la que se acompañará dicha certificación. No es necesaria la intervención de abogado ni procurador, aunque es conveniente para evitar errores. Cada profesional debe encargarse de aquello para lo que se ha preparado.

No obstante lo anterior, todos somos conscientes del difícil momento por el que estamos atravesando, con multitud de problemas personales y familiares de índole económica que repercuten en un aumento importante de la morosidad no deseada por los mismos deudores en las comunidades de propietarios. Debe estudiarse cada caso en particular para tratar de sortear esta complicada situación sin que se llegue a situaciones límite. Todos podemos vernos afectados por una situación negativa.

16ª.- De no estar realizados por el constructor o promotor, es muy conveniente aprobar los estatutos de la comunidad, lo que deberá hacerse por unanimidad y en ellos deben fijarse unas normas mínimas de convivencia, de limpieza, de utilización de zonas comunes y de prohibición de actividades, si se desea articular una norma que permita conocer de antemano el establecimiento de los principios por los que la comunidad quiere regirse, con el lógico respeto a las leyes.

17ª.- No es conveniente que alguno de los copropietarios se dedique a realizar actividades para la Comunidad que estén remuneradas, por ejemplo la limpieza de la escalera por algún/a propietario/a, el cuidado de los jardines si existieran, etc., ya que en el supuesto de que se tuviera que rescindir el servicio, ello generaría una violencia añadida por tener que sumarle el factor de la convivencia cotidiana, lo que puede resultar, cuanto menos, desagradable, por lo que hay que evitar, de entrada, el que puedan darse estas situaciones. Además, en caso de carecer de contrato supondría un fraude a la normativa laboral y/o fiscal.

18ª.- Si hay que contratar los servicios de profesionales para la realización de cualquier actividad duradera (rehabilitación de fachadas, cambio de bajantes, vigilancia, etc.) hay que cerciorarse de que la empresa que vaya a realizar el servicio esté al corriente en los pagos de las nóminas y los seguros sociales de sus trabajadores, así como en la normativa sobre prevención de riesgos laborales, ya que cabría la exigencia de responsabilidad subsidiaria en dicho pago a la Comunidad, por parte de los trabajadores afectados, lo que supondría una desagradable sorpresa y una obligación impuesta por la Ley derivada de una falta de información que repercutiría al conjunto de comuneros.

19ª.- Siempre que se requiera algún servicio, hay que dirigirse a personal cualificado, dado de alta en su correspondiente actividad, con domicilio conocido y con un respaldo de infraestructura que garantice mínimamente el trabajo a realizar del tipo que sea. Cualquier tipo de profesiones (albañiles, fontaneros, electricistas, jardineros, carpinteros, antenistas, empresas, administradores de fincas, etc.) relacionados con la Comunidad deben ofrecer sus servicios a partir de una actividad legal que vendrá dada por su correspondiente ingreso en el impuesto de actividades económicas, un domicilio social conocido y el abono de sus seguros sociales, del régimen general o de autónomos, que darán garantía a la prestación de sus servicios.

20ª.- La Presidencia, que es obligatoria, aunque se puede solicitar el relevo al Juez dentro del mes siguiente a su acceso al cargo invocando las razones que le asistan para ello (art. 13.2 LPH), debe establecerse, como norma a priori, mediante un sistema de puertas correlativas, ascendente o descendente, o por orden alfabético, o cualquier otro sistema que determine la obligación de ocupar el cargo de Presidente/a, ya que, en caso contrario, resulta en ocasiones muy difícil de asignar porque muchos copropietarios se niegan a ocuparlo. Saber, de antemano, que les debe corresponder, facilitará la elección en el momento que, por turno, les corresponda.

21ª.- Finalmente, como última recomendación, cada copropietario debe pensar que vivir en Comunidad puede ser tan fácil como se desee, en función del respeto al prójimo, o tan difícil como quiera hacerse si no se contempla el derecho de los demás a vivir conforme a unas normas que todos debemos acatar. Es suficiente con asimilar que nuestros derechos finalizan donde comienzan los derechos de los demás y nuestros deberes comienzan, precisamente, donde los demás pueden ejercitar sus derechos.

Los ruidos, televisores o aparatos de música con un volumen elevado a altas horas de la noche, las fiestas sin control, andar con tacones o arrastrar sillas o muebles en general, en horas nocturnas o de descanso, animales de compañía desmandados, basuras en rellanos durante tiempo prolongado, actos vandálicos de adolescentes de la comunidad, pintadas en paredes o ascensores, rotura de buzones, gritos entre familiares que traspasan paredes, bicicletas que se guardan en los domicilios y se trasladan en ascensores o por las escaleras ensuciando o dañando los elementos comunes, etc., son alguno de los actos que deben evitarse en beneficio de una convivencia que, normalmente, no se ha elegido y en la que, por ello, debe prevalecer el buen juicio presidido por las más sencillas normas de educación.

15. LEY 49/1960, DE 21 DE JULIO, SOBRE PROPIEDAD HORIZONTAL

EXPOSICIÓN DE MOTIVOS

Si en términos generales toda ordenación jurídica no puede concebirse ni instaurarse a espaldas de las exigencias de la realidad social a que va destinada, tanto más ha de ser así cuando versa sobre una institución que como la propiedad horizontal, ha adquirido, sobre todo en los últimos años, tan pujante vitalidad, pese a no encontrar más apoyo normativo que el abiertamente insuficiente representado por el artículo 396 del Código Civil. La presente Ley pretende, pues, seguir la realidad social de los hechos. Pero no en el simple sentido de convertir en norma cualquier dato obtenido de la práctica, sino con un alcance más amplio y profundo. De un lado, a causa de la dimensión de futuro inherente a la ordenación jurídica, que impide entenderla como mera sanción de lo que hoy acontece y obliga a la previsión de lo que puede acontecer. Y de otro lado, porque si bien el punto de partida y el destino inmediato de las normas es regir las relaciones humanas, para lo cual importa mucho su adecuación a las concretas e históricas exigencias y contingencias de la vida, no hay que olvidar tampoco que su finalidad última, singularmente cuando se concibe el Derecho positivo en función del Derecho natural, es lograr un orden de convivencia presidido por la idea de la justicia, la cual, como virtud moral se sobrepone tanto a la realidad de los hechos como a las determinaciones del legislador, que siempre han de hallarse limitadas y orientadas por ella.

Hay un hecho social básico que en los tiempos modernos ha influido sobre manera en la ordenación de la propiedad urbana. Se manifiesta a través de un factor constante, cual es la insuprimible necesidad de las edificaciones, tanto para la vida de la persona y la familia como para el desarrollo de fundamentales actividades, constituidas por el comercio, la industria y, en general, el ejercicio de las profesiones, junto a ese factor, que es constante en el sentido de ser connatural a todo sistema de vida y de convivencia dentro de una elemental civilización, se ofrece hoy, provocado por muy diversas determinaciones, otro factor que se exterioriza en términos muy acusados, y es el representado por las dificultades que entraña la adquisición, la disponibilidad y el disfrute de los locales habituales. La acción de Estado ha considerado y atendido a esta situación real en tres esferas, aunque diversas, muy directamente relacionadas: en la esfera de la construcción impulsándola a virtud de medidas indirectas e incluso, en ocasiones, afrontando de modo directo la empresa, en la esfera del arrendamiento, a través de una legislación frecuentemente renovada, que restringe el poder autónomo de la voluntad con el fin de asegurar una permanencia en el disfrute de las viviendas y los locales de negocio en condiciones económicas sometidas a un sistema de intervención y revisión, y en la esfera de la propiedad, a virtud principalmente de la llamada propiedad horizontal, que proyecta esta titularidad sobre determinados espacios de la edificación. La esencial razón de ser del régimen de la propiedad horizontal descansa en la finalidad de lograr el acceso a la propiedad urbana mediante una inversión de capital que, al quedar circunscrita al espacio y elementos indispensables para atender a las propias necesidades, es menos cuantiosa y, por lo mismo, más asequible a todos y la única posible para grandes sectores de personas. Siendo ello así, el régimen de la propiedad horizontal no sólo precisa ser reconocido, sino que además requiere que se le aliente y encauce, dotándole de una ordenación completa y eficaz. Y más aún si se observa que, por otra parte, mientras las disposiciones legislativas vigentes en materia de arrendamientos urbanos no pasan de ser remedios ocasionales, que resuelven el conflicto de intereses de un modo imperfecto, puesto que el fortalecimiento de la institución arrendaticia se consigue imponiendo a la propiedad una carga que difícilmente puede sobrellevar en cambio, conjugando las medidas dirigidas al incremento de la construcción con un bien organizado régimen de la propiedad horizontal, se afronta el problema de la vivienda y los conexos a él en un plano más adecuado, que permite soluciones estables y ello a la larga redundará en ventaja del propio régimen arrendaticio, que podrá, sin la presión de unas exigencias acuciantes, liberalizarse y cumplir normalmente su función económico-social.

La Ley representa, más que una reforma de la legalidad vigente, la ordenación ex novo, de manera completa, de la propiedad por pisos. Se lleva a cabo mediante una Ley de carácter general, en el sentido de ser de aplicación a todo el territorio nacional. El artículo 396 del Código Civil, como ocurre en supuestos análogos, recoge las notas esenciales de este régimen de propiedad y, por lo demás, queda reducido a norma de remisión. El carácter general de la Ley viene aconsejado, sobre todo, por la razón de política legislativa derivada de que la necesidad a que sirve se manifiesta por igual en todo territorio; pero también se ha tenido en cuenta una razón de técnica legislativa, como es la de que las disposiciones en que se traduce, sin descender a lo reglamentario, son a veces de una circunstanciada concreción que excede de la tónica propia de un Código Civil.

La propiedad horizontal hizo su irrupción en los ordenamientos jurídicos como una modalidad de la comunidad de bienes. El progresivo desenvolvimiento de la institución ha tendido principalmente a subrayar los perfiles que la independizan de la comunidad.

La modificación que introdujo la Ley de 26 de octubre de 1939 en el texto del artículo 396 del Código Civil ya significó un avance en ese sentido, toda vez que reconoció la propiedad privativa o singular del piso o local, quedando la comunidad, como accesoria, circunscrita a lo que se ha venido llamando elementos comunes. La Ley que recoge el material preparado con ponderación y cuidado por la Comisión de Códigos, dando un paso más pretende llevar al máximo posible la individualización de la propiedad desde el punto de vista del objeto.

A tal fin, a este objeto de la relación, constituido por el piso o local, se incorpora el propio inmueble, sus pertenencias y servicios. Mientras sobre el piso stricto sensu, o espacio delimitado y de aprovechamiento independiente, el uso y disfrute son privativos, sobre el inmueble, edificación, pertenencias y servicios —abstracción hecha de los particulares espacios— tales uso y disfrute han de ser, naturalmente, compartidos; pero unos y otros derechos, aunque distintos en su alcance, se reputan inseparablemente unidos, unidad que también se mantiene respecto de la facultad de disposición. Con base en la misma idea se regula el coeficiente o cuota, que no es ya la participación en lo anteriormente denominado elementos comunes, sino que expresa, activa y también pasivamente, como módulo para cargas, el valor proporcional del piso y a cuanto él se considera unido en el conjunto del inmueble, el cual, al mismo tiempo que se divide física y jurídicamente en pisos o locales se divide así económicamente en fracciones o cuotas.

En este propósito individualizador no hay que ver una preocupación dogmática y mucho menos la consagración de una ideología de signo individualista. Se trata de que no olvidando la ya aludida función social que cumple esta institución, cabe entender que el designio de simplificar y facilitar el régimen de la propiedad horizontal se realiza así de modo más satisfactorio. Con el alejamiento del sistema de la comunidad de bienes resulta ya no sólo congruente, sino tranquilizadora la expresa eliminación de los derechos de tanteo y retracto, reconocidos, con ciertas peculiaridades, en la hasta ahora vigente redacción del mencionado artículo 396. Ahora bien: tampoco en este caso ha sido esa sola consideración técnica la que ha guiado la Ley. Decisivo influjo han ejercido tanto la notoria experiencia de que actualmente se ha hecho casi cláusula de estilo la exclusión de tales derechos como el pensamiento de que no se persigue aquí una concentración de la propiedad de los pisos o locales, sino, por el contrario, su más amplia difusión.

Motivo de especial estudio ha sido la concerniente a la constitución del régimen de la propiedad horizontal y a la determinación del conjunto de deberes y derechos que lo integran. Hasta ahora, y ello tiene una justificación histórica esta materia ha estado entregada casi de modo total, en defecto de normas legales, a la autonomía privada reflejada en los Estatutos. Estos, frecuentemente, no eran fruto de las libres determinaciones recíprocas de los contratantes, sino que, de ordinario, los dictaba, con sujeción a ciertos tipos generalizados por la práctica, el promotor de la empresa de construcción, limitándose a prestar su adhesión las personas que ingresaban en el régimen de la propiedad horizontal.

La Ley brinda una regulación que, por un lado es insuficiente por sí —con las salvedades dejadas a la iniciativa privada— para constituir, en lo esencial, el sistema jurídico que presida y gobierne esta clase de relaciones, y, por otro lado, admite que, por obra de la voluntad, se especifiquen, completen y hasta modifiquen ciertos derechos y deberes, siempre que no se contravengan las normas de derecho necesario, claramente deducibles de los mismos términos de la Ley. De ahí que la formulación de Estatutos no resultará indispensable, si bien podrán éstos cumplir la función de desarrollar la ordenación legal y adecuarla a las concretas circunstancias de los diversos casos y situaciones.

El sistema de derechos y deberes en el seno de la propiedad horizontal aparece estructurado en razón de los intereses en juego.

Los derechos de disfrute tienden a atribuir al titular las máximas posibilidades de utilización, con el límite representado tanto por la concurrencia de los derechos de igual clase de los demás cuanto por el interés general, que se encarna en la conservación del edificio y en la subsistencia del régimen de propiedad horizontal, que requiere una base material y objetiva. Por lo mismo íntimamente unidos a los derechos de disfrute aparecen los deberes de igual naturaleza. Se ha tratado de configurarlos con criterios inspirados en las relaciones de vecindad, procurando dictar unas normas dirigidas a asegurar que el ejercicio del derecho propio no se traduzca en perjuicio del ajeno ni en menoscabo del conjunto, para así dejar establecidas las bases de convivencia normal y pacífica.

Además de regular los derechos y deberes correspondientes al disfrute, la Ley se ocupa de aquellos otros que se refieren a los desembolsos económicos a que han de atender conjuntamente los titulares, bien por derivarse de las instalaciones y servicios de carácter general, o bien por constituir cargas o tributos que afectan a la totalidad del edificio. El criterio básico tenido en cuenta para determinar la participación de cada uno en el desembolso a realizar es la expresada cuota o coeficiente asignado al piso o local, cuidándose de significar que la no utilización del servicio generador del gasto no exime de la obligación correspondiente.

Una de las más importantes novedades que contiene la Ley es la de vigorizar en todo lo posible la fuerza vinculante de los deberes impuestos a los titulares, así por lo que concierne al disfrute del apartamento, cuanto por lo que se refiere al abono de gastos. Mediante la aplicación de las normas generales vigentes en la materia, el incumplimiento de las obligaciones genera la acción dirigida a exigir judicialmente su cumplimiento, bien de modo específico, esto es, imponiendo a través de la coacción lo que voluntariamente no se ha observado, o bien en virtud de la pertinente indemnización. Pero esta normal sanción del incumplimiento puede no resultar suficientemente eficaz en casos como los aquí considerados, y ello por diversas razones: una es la de que la inobservancia del deber trae repercusiones sumamente perturbadoras para grupos extensos de personas, al paso que dificulta el funcionamiento del régimen de propiedad horizontal; otra razón es la de que, en lo relativo a los deberes de disfrute, la imposición judicial del cumplimiento específico es prácticamente imposible por el carácter negativo de la obligación, y la indemnización no cubre la finalidad que se persigue de armonizar la convivencia. Por eso se prevé la posibilidad de la privación judicial del disfrute del piso o local cuando concurran circunstancias taxativamente señaladas, y por otra parte se asegura la contribución a los gastos comunes con una afectación real del piso o local al pago de este crédito considerado preferente.

La concurrencia de una colectividad de personas en la titularidad de derechos que, sin perjuicio de su sustancial individualización, recaen sobre fracciones de un mismo edificio y dan lugar a relaciones de interdependencia que afectan a los respectivos titulares ha hecho indispensable en la práctica la creación de órganos de gestión y administración. La Ley, que en todo momento se ha querido mostrar abierta a las enseñanzas de la experiencia, la ha tenido muy especialmente en cuenta en esta materia. Y fruto de ella, así como de la detenida ponderación de los diversos problemas, ha sido confiar normalmente al adecuado funcionamiento del régimen de propiedad horizontal a tres órganos: la Junta, el Presidente de la misma y el Administrador. La Junta, compuesta de todos los titulares, tiene los cometidos propios de un órgano rector colectivo, ha de reunirse preceptivamente una vez al año, y para la adopción de acuerdos válidos se requiere, por regla general, el voto favorable tanto de la mayoría numérica o personal cuanto de la económica, salvo cuando la trascendencia de la materia requiera la unanimidad, o bien cuando por el contrario, por la relativa importancia de aquélla, y para que la simple pasividad de los propietarios no entorpezca el funcionamiento de la institución, sea suficiente la simple mayoría de los asistentes. El cargo de Presidente, que ha de ser elegido del seno de la Junta, lleva implícita la representación de todos los titulares en juicio y fuera de él, con lo que se resuelve el delicado problema de legitimación que se ha venido produciendo. Y, finalmente, el Administrador, que ha de ser designado por la Junta y es amovible, sea o no miembro de ella, ha de actuar siempre en dependencia de la misma, sin perjuicio de cumplir en todo caso las obligaciones que directamente se le imponen.

Por otra parte se ha dado a esto una cierta flexibilidad para que el número de estas personas encargadas de la representación y gestión sea mayor o menor según la importancia y necesidad de la colectividad.

Por último, debe señalarse que la economía del sistema establecido tiene interesantes repercusiones en cuanto afecta al Registro de la Propiedad y exige una breve reforma en la legislación hipotecaria. Se ha partido, en un afán de claridad, de la conveniencia de agregar dos párrafos al artículo 8 de la vigente Ley Hipotecaria, el cuarto y el quinto, que sancionan, en principio, la posibilidad de la inscripción del edificio en su conjunto, sometido al régimen de propiedad horizontal, y al mismo tiempo la del piso o local como finca independiente, con folio registral propio.

El número cuarto del mencionado artículo 8 prevé la hipótesis normal de constitución del régimen de propiedad horizontal, es decir, la construcción de un edificio por un titular que lo destine precisamente a la enajenación de pisos y el caso, menos frecuente, de que varios propietarios de un edificio traten de salir de la indivisión de mutuo acuerdo, o construyan un edificio con ánimo de distribuirlo, ab initio, entre ellos mismos, transformándose en propietarios singulares de apartamento o fracciones independientes. A título excepcional, y con el mismo propósito de simplificar los asientos, se permite inscribir a la vez la adjudicación concreta de los repetidos apartamentos a favor de sus respectivos titulares, siempre que así lo soliciten todos ellos.

Y el número quinto del mismo artículo 8 permite crear el folio autónomo e independiente de cada piso o local, siempre que consten previamente inscritos el inmueble y la constitución del régimen de propiedad horizontal.

En su virtud, y de conformidad con la propuesta elaborada por las Cortes Españolas, dispongo:

CAPÍTULO I. DISPOSICIONES GENERALES

Artículo 1

La presente Ley tiene por objeto la regulación de la forma especial de propiedad establecida en el artículo 396 del Código Civil, que se denomina propiedad horizontal.

A efectos de esta Ley tendrán también la consideración de locales aquellas partes de un edificio que sean susceptibles de aprovechamiento independiente por tener salida a un elemento común de aquél o a la vía pública.

Artículo 2

Esta Ley será de aplicación:

a) A las comunidades de propietarios constituidas con arreglo a lo dispuesto en el artículo 5.

b) A las comunidades que reúnan los requisitos establecidos en el artículo 396 del Código Civil y no hubiesen otorgado el título constitutivo de la propiedad horizontal.

Estas comunidades se regirán, en todo caso, por las disposiciones de esta Ley en lo relativo al régimen jurídico de la propiedad, de sus partes privativas y elementos comunes, así como en cuanto a los derechos y obligaciones recíprocas de los comuneros.

c) A los complejos inmobiliarios privados, en los términos establecidos en esta Ley.

d) A las subcomunidades, entendiendo por tales las que resultan cuando, de acuerdo con lo dispuesto en el título constitutivo, varios propietarios disponen, en régimen de comunidad, para su uso y disfrute exclusivo, de determinados elementos o servicios comunes dotados de unidad e independencia funcional o económica.

e) A las entidades urbanísticas de conservación en los casos en que así lo dispongan sus estatutos.

CAPÍTULO II. DEL RÉGIMEN DE LA PROPIEDAD POR PISOS O LOCALES

Artículo 3

En el régimen de propiedad establecido en el artículo 396 del Código Civil corresponde a cada piso o local:

a) El derecho singular y exclusivo de propiedad sobre un espacio suficientemente delimitado y susceptible de aprovechamiento independiente, con los elementos arquitectónicos e instalaciones de todas clases, aparentes o no, que estén comprendidos dentro de sus límites y sirvan exclusivamente al propietario, así como el de los anejos que expresamente hayan sido señalados en el título, aunque se hallen situados fuera del espacio delimitado.

b) La copropiedad, con los demás dueños de pisos o locales, de los restantes elementos, pertenencias y servicios comunes.

A cada piso o local se atribuirá una cuota de participación con relación al total del valor del inmueble y referida a centésimas del mismo. Dicha cuota servirá de módulo para determinar la participación en las cargas y beneficios por razón de la comunidad. Las mejoras o menoscabos de cada piso o local no alterarán la cuota atribuida, que sólo podrá variarse de acuerdo con lo establecido en los artículos 10 y 17 de esta Ley.

Cada propietario puede libremente disponer de su derecho, sin poder separar los elementos que lo integran y sin que la transmisión del disfrute afecte a las obligaciones derivadas de este régimen de propiedad.

Artículo 4

La acción de división no procederá para hacer cesar la situación que regula esta Ley. Sólo podrá ejercitarse por cada propietario proindiviso sobre un piso o local determinado, circunscrita al mismo, y siempre que la proindivisión no haya sido establecida de intento para el servicio o utilidad común de todos los propietarios.

Artículo 5

El título constitutivo de la propiedad por pisos o locales describirá, además del inmueble en su conjunto, cada uno de aquellos al que se asignara número correlativo. La descripción del inmueble habrá de expresar las circunstancias exigidas en la legislación hipotecaria, y los servicios e instalaciones con que cuente el mismo. La de cada piso o local expresará su extensión, linderos, planta en la que se hallare y los anejos, tales como garaje, buhardilla o sótano.

En el mismo título se fijará la cuota de participación que corresponde a cada piso o local, determinada por el propietario único del edificio al iniciar su venta por pisos, por acuerdo de todos los propietarios existentes, por laudo o resolución judicial. Para su fijación se tomará como base la superficie útil de cada piso o local en relación con el total del inmueble, su emplazamiento interior o exterior, su situación y el uso que se presuma racionalmente que va a efectuarse de los servicios o elementos comunes.

El título podrá contener, además, reglas de constitución y ejercicio del derecho y disposiciones no prohibidas por la Ley en orden al uso o destino del edificio, sus diferentes pisos o locales, instalaciones y servicios, gastos, administración y gobierno, seguros, conservación y reparaciones, formando un estatuto privativo que no perjudicará a terceros si no ha sido inscrito en el Registro de la Propiedad.

En cualquier modificación del título, y a salvo lo que se dispone sobre validez de acuerdos, se observarán los mismos requisitos que para la constitución.

Artículo 6

Para regular los detalles de la convivencia y la adecuada utilización de los servicios y cosas comunes, y dentro de los límites establecidos por la Ley y los estatutos, el conjunto de propietarios podrá fijar normas de régimen interior que obligarán también a todo titular mientras no sean modificadas en la forma prevista para tomar acuerdos sobre la administración.

Artículo 7

1. El propietario de cada piso o local podrá modificar los elementos arquitectónicos, instalaciones o servicios de aquél cuando no menoscabe o altere la seguridad del edificio, su estructura general, su configuración o estado exteriores, o perjudique los derechos de otro propietario, debiendo dar cuenta de tales obras previamente a quien represente a la comunidad.

En el resto del inmueble no podrá realizar alteración alguna y si advirtiere la necesidad de reparaciones urgentes deberá comunicarlo sin dilación al administrador.

2. Al propietario y al ocupante del piso o local no les está permitido desarrollar en él o en el resto del inmueble actividades prohibidas en los estatutos, que resulten dañosas para la finca o que contravengan las disposiciones generales sobre actividades molestas, insalubres, nocivas, peligrosas o ilícitas.

El presidente de la comunidad, a iniciativa propia o de cualquiera de los propietarios u ocupantes, requerirá a quien realice las actividades prohibidas por este apartado la inmediata cesación de las mismas, bajo apercibimiento de iniciar las acciones judiciales procedentes.

Si el infractor persistiere en su conducta el presidente, previa autorización de la Junta de propietarios, debidamente convocada al efecto, podrá entablar contra él acción de cesación que, en lo no previsto expresamente por este artículo, se substanciará por las normas que regulan el juicio ordinario.

Presentada la demanda, acompañada de la acreditación del requerimiento fehaciente al infractor y de la certificación del acuerdo adoptado por la Junta de propietarios, el Juez podrá acordar con carácter cautelar la cesación inmediata de la actividad prohibida, bajo apercibimiento de incurrir en delito de desobediencia. Podrá adoptar asimismo cuantas medidas cautelares fueran precisas para asegurar la efectividad de la orden de cesación. La demanda habrá de dirigirse contra el propietario y, en su caso, contra el ocupante de la vivienda o local.

Si la sentencia fuese estimatoria podrá disponer, además de la cesación definitiva de la actividad prohibida y la indemnización de daños y perjuicios que proceda, la privación del derecho al uso de la vivienda o local por tiempo no superior a tres años, en función de la gravedad de la infracción y de los perjuicios ocasionados a la comunidad. Si el infractor no fuese el propietario, la sentencia podrá declarar extinguidos definitivamente todos sus derechos relativos a la vivienda o local, así como su inmediato lanzamiento.

Artículo 8
(Derogado)

Artículo 9
1. Son obligaciones de cada propietario:

a) Respetar las instalaciones generales de la comunidad y demás elementos comunes, ya sean de uso general o privativo de cualquiera de los propietarios, estén o no incluidos en su piso o local, haciendo un uso adecuado de los mismos y evitando en todo momento que se causen daños o desperfectos.

b) Mantener en buen estado de conservación su propio piso o local e instalaciones privativas, en términos que no perjudiquen a la comunidad o a los otros propietarios, resarciendo los daños que ocasione por su descuido o el de las personas por quienes deba responder.

c) Consentir en su vivienda o local las reparaciones que exija el servicio del inmueble y permitir en él las servidumbres imprescindibles requeridas para la realización de obras, actuaciones o la creación de servicios comunes llevadas a cabo o acordadas conforme a lo establecido en la presente Ley, teniendo derecho a que la comunidad le resarza de los daños y perjuicios ocasionados.

d) Permitir la entrada en su piso o local a los efectos prevenidos en los tres apartados anteriores.

e) Contribuir, con arreglo a la cuota de participación fijada en el título o a lo especialmente establecido, a los gastos generales para el adecuado sostenimiento del inmueble, sus servicios, cargas y responsabilidades que no sean susceptibles de individualización.

Los créditos a favor de la comunidad derivados de la obligación de contribuir al sostenimiento de los gastos generales correspondientes a las cuotas imputables a la parte vencida de la anualidad en curso y los tres años anteriores tienen la condición de preferentes a efectos del artículo 1923 del Código Civil y preceden, para su satisfacción, a los citados en los números 3.º, 4.º y 5.º de dicho precepto, sin perjuicio de la preferencia establecida a favor de los créditos salariales en el texto refundido de la Ley del Estatuto de los Trabajadores, aprobado por el Real Decreto Legislativo 1/1995, de 24 de marzo.

El adquirente de una vivienda o local en régimen de propiedad horizontal, incluso con título inscrito en el Registro de la Propiedad, responde con el propio inmueble adquirido de las cantidades adeudadas a la comunidad de propietarios para el sostenimiento de los gastos generales por los anteriores titulares hasta el límite de los que resulten imputables a la parte vencida de la anualidad en la cual tenga lugar la adquisición y a los tres años naturales anteriores. El piso o local estará legalmente afecto al cumplimiento de esta obligación.

En el instrumento público mediante el que se transmita, por cualquier título, la vivienda o local el transmitente, deberá declarar hallarse al corriente en el pago de los gastos generales de la comunidad de propietarios o expresar los que adeude. El transmitente deberá aportar en este momento certificación sobre el estado de deudas con la comunidad coincidente con su declaración, sin la cual no podrá autorizarse el otorgamiento del documento público, salvo que fuese expresamente exonerado de esta obligación por el adquirente. La certificación será emitida en el plazo máximo de siete días naturales desde su solicitud por quien ejerza las funciones de secretario, con el visto bueno del presidente, quienes responderán, en caso de culpa o negligencia, de la exactitud de los datos consignados en la misma y de los perjuicios causados por el retraso en su emisión.

f) Contribuir, con arreglo a su respectiva cuota de participación, a la dotación del fondo de reserva que existirá en la comunidad de propietarios para atender las obras de conservación y reparación de la finca y, en su caso, para las obras de rehabilitación.

El fondo de reserva, cuya titularidad corresponde a todos los efectos a la comunidad, estará dotado con una cantidad que en ningún caso podrá ser inferior al 5 por ciento de su último presupuesto ordinario.

Con cargo al fondo de reserva la comunidad podrá suscribir un contrato de seguro que cubra los daños causados en la finca o bien concluir un contrato de mantenimiento permanente del inmueble y sus instalaciones generales.

g) Observar la diligencia debida en el uso del inmueble y en sus relaciones con los demás titulares y responder ante éstos de las infracciones cometidas y de los daños causados.

h) Comunicar a quien ejerza las funciones de secretario de la comunidad, por cualquier medio que permita tener constancia de su recepción, el domicilio en España a efectos de citaciones y notificaciones de toda índole relacionadas con la comunidad. En defecto de esta comunicación se tendrá por domicilio para citaciones y notificaciones el piso o local perteneciente a la comunidad, surtiendo plenos efectos jurídicos las entregadas al ocupante del mismo.

Si intentada una citación o notificación al propietario fuese imposible practicarla en el lugar prevenido en el párrafo anterior, se entenderá realizada mediante la colocación de la comunicación correspondiente en el tablón de anuncios de la comunidad, o en lugar visible de uso general habilitado al efecto, con diligencia expresiva de la fecha y motivos por los que se procede a esta forma de notificación, firmada por quien ejerza las funciones de secretario de la comunidad, con el visto bueno del presidente. La notificación practicada de esta forma producirá plenos efectos jurídicos en el plazo de tres días naturales.

i) Comunicar a quien ejerza las funciones de secretario de la comunidad, por cualquier medio que permita tener constancia de su recepción, el cambio de titularidad de la vivienda o local.

Quien incumpliere esta obligación seguirá respondiendo de las deudas con la comunidad devengadas con posterioridad a la transmisión de forma solidaria con el nuevo titular, sin perjuicio del derecho de aquél, a repetir sobre éste.

Lo dispuesto en el párrafo anterior no será de aplicación cuando, cualquiera de los órganos de gobierno establecidos en el artículo 13 haya tenido conocimiento del cambio de titularidad de la vivienda o local por cualquier otro medio o por actos concluyentes del nuevo propietario, o bien cuando dicha transmisión resulte notoria.

2. Para la aplicación de las reglas del apartado anterior se reputarán generales los gastos que no sean imputables a uno o varios pisos o locales, sin que la no utilización de un servicio exima del cumplimiento de las obligaciones correspondientes, sin perjuicio de lo establecido en el artículo 17.4.

Artículo 10

1. Tendrán carácter obligatorio y no requerirán de acuerdo previo de la Junta de propietarios, impliquen o no modificación del título constitutivo o de los estatutos, y vengan impuestas por las Administraciones Públicas o solicitadas a instancia de los propietarios, las siguientes actuaciones:

a) Los trabajos y las obras que resulten necesarias para el adecuado mantenimiento y cumplimiento del deber de conservación del inmueble y de sus servicios e instalaciones comunes, incluyendo en todo caso, las necesarias para satisfacer los requisitos básicos de seguridad, habitabilidad y accesibilidad universal, así como las condiciones de ornato y cualesquiera otras derivadas de la imposición, por parte de la Administración, del deber legal de conservación.

b) Las obras y actuaciones que resulten necesarias para garantizar los ajustes razonables en materia de accesibilidad universal y, en todo caso, las requeridas a instancia de los propietarios en cuya vivienda o local vivan, trabajen o presten servicios voluntarios, personas con discapacidad, o mayores de setenta años, con el objeto de asegurarles un uso adecuado a sus necesidades de los elementos comunes, así como la instalación de rampas, ascensores u otros dispositivos mecánicos y electrónicos que favorezcan la orientación o su comunicación con el exterior, siempre que el importe repercutido anualmente de las mismas, una vez descontadas las subvenciones o ayudas públicas, no exceda de doce mensualidades ordinarias de gastos comunes. No eliminará el carácter obligatorio de estas obras el hecho de que el resto de su coste, más allá de las citadas mensualidades, sea asumido por quienes las hayan requerido.

c) La ocupación de elementos comunes del edificio o del complejo inmobiliario privado durante el tiempo que duren las obras a las que se refieren las letras anteriores.

d) La construcción de nuevas plantas y cualquier otra alteración de la estructura o fábrica del edificio o de las cosas comunes, así como la constitución de un complejo inmobiliario, tal y como prevé el artículo 17.4 del texto refundido de la Ley de Suelo, aprobado por el Real Decreto Legislativo 2/2008, de 20 de junio, que resulten preceptivos a consecuencia de la inclusión del inmueble en un ámbito de actuación de rehabilitación o de regeneración y renovación urbana.

e) Los actos de división material de pisos o locales y sus anejos para formar otros más reducidos e independientes, el aumento de su superficie por agregación de otros colindantes del mismo edificio, o su disminución por segregación de alguna parte, realizados por voluntad y a instancia de sus propietarios, cuando tales actuaciones sean posibles a consecuencia de la inclusión del inmueble en un ámbito de actuación de rehabilitación o de regeneración y renovación urbanas.

2. Teniendo en cuenta el carácter de necesarias u obligatorias de las actuaciones referidas en las letras a) a d) del apartado anterior, procederá lo siguiente:

a) Serán costeadas por los propietarios de la correspondiente comunidad o agrupación de comunidades, limitándose el acuerdo de la Junta a la distribución de la derrama pertinente y a la determinación de los términos de su abono.

b) Los propietarios que se opongan o demoren injustificadamente la ejecución de las órdenes dictadas por la autoridad competente responderán individualmente de las sanciones que puedan imponerse en vía administrativa.

c) Los pisos o locales quedarán afectos al pago de los gastos derivados de la realización de dichas obras o actuaciones en los mismos términos y condiciones que los establecidos en el artículo 9 para los gastos generales.

3. Requerirán autorización administrativa, en todo caso:

a) La constitución y modificación del complejo inmobiliario a que se refiere el artículo 17.6 del texto refundido de la Ley de Suelo, aprobado por el Real Decreto Legislativo 2/2008, de 20 de junio, en sus mismos términos.

b) Cuando así se haya solicitado, previa aprobación por las tres quintas partes del total de los propietarios que, a su vez, representen las tres quintas partes de las cuotas de participación, la división material de los pisos o locales y sus anejos, para formar otros más reducidos e independientes; el aumento de su superficie por agregación de otros colindantes del mismo edificio o su disminución por segregación de alguna parte; la construcción de nuevas plantas y cualquier otra alteración de la estructura o fábrica del edificio, incluyendo el cerramiento de las terrazas y la modificación de la envolvente para mejorar la eficiencia energética, o de las cosas comunes, cuando concurran los requisitos a que alude el artículo 17.6 del texto refundido de la Ley de Suelo, aprobado por el Real Decreto Legislativo 2/2008, de 20 de junio.

En estos supuestos deberá constar el consentimiento de los titulares afectados y corresponderá a la Junta de Propietarios, de común acuerdo con aquéllos, y por mayoría de tres quintas partes del total de los propietarios, la determinación de la indemnización por daños y perjuicios que corresponda. La fijación de las nuevas cuotas de participación, así como la determinación de la naturaleza de las obras que se vayan a realizar, en caso de discrepancia sobre las mismas, requerirá la adopción del oportuno acuerdo de la Junta de Propietarios, por idéntica mayoría. A este respecto también podrán los interesados solicitar arbitraje o dictamen técnico en los términos establecidos en la Ley.

Artículo 11
(Derogado)

Artículo 12
(Derogado)

Artículo 13

1. Los órganos de gobierno de la comunidad son los siguientes:

a) La Junta de propietarios.

b) El presidente y, en su caso, los vicepresidentes.

c) El secretario.

d) El administrador.

En los estatutos, o por acuerdo mayoritario de la Junta de propietarios, podrán establecerse otros órganos de gobierno de la comunidad, sin que ello pueda suponer menoscabo alguno de las funciones y responsabilidades frente a terceros que esta Ley atribuye a los anteriores.

2. El presidente será nombrado, entre los propietarios, mediante elección o, subsidiariamente, mediante turno rotatorio o sorteo. El nombramiento será obligatorio, si bien el propietario designado podrá solicitar su relevo al juez dentro del mes siguiente a su acceso al cargo, invocando las razones que le asistan para ello. El juez, a través del procedimiento establecido en el artículo 17.7.ª, resolverá de plano lo procedente, designando en la misma resolución al propietario que hubiera de sustituir, en su caso, al presidente en el cargo hasta que se proceda a nueva designación en el plazo que se determine en la resolución judicial.

Igualmente podrá acudirse al juez cuando, por cualquier causa, fuese imposible para la Junta designar presidente de la comunidad.

3. El presidente ostentará legalmente la representación de la comunidad, en juicio y fuera de el, en todos los asuntos que la afecten.

4. La existencia de vicepresidentes será facultativa. Su nombramiento se realizará por el mismo procedimiento que el establecido para la designación del presidente.

Corresponde al vicepresidente, o a los vicepresidentes por su orden, sustituir al presidente en los casos de ausencia, vacante o imposibilidad de éste, así como asistirlo en el ejercicio de sus funciones en los términos que establezca la Junta de propietarios.

5. Las funciones del secretario y del administrador serán ejercidas por el presidente de la comunidad, salvo que los estatutos o la Junta de propietarios por acuerdo mayoritario, dispongan la provisión de dichos cargos separadamente de la presidencia.

6. Los cargos de secretario y administrador podrán acumularse en una misma persona o bien nombrarse independientemente.

El cargo de administrador y, en su caso, el de secretario y administrador podrá ser ejercido por cualquier propietario, así como por personas físicas con cualificación profesional suficiente y legalmente reconocida para ejercer dichas funciones. También podrá recaer en corporaciones y otras personas jurídicas en los términos establecidos en el ordenamiento jurídico.

7. Salvo que los estatutos de la comunidad dispongan lo contrario, el nombramiento de los órganos de gobierno se hará por el plazo de un año.

Los designados podrán ser removidos de su cargo antes de la expiración del mandato por acuerdo de la Junta de propietarios, convocada en sesión extraordinaria.

8. Cuando el número de propietarios de viviendas o locales en un edificio no exceda de cuatro podrán acogerse al régimen de administración del artículo 398 del Código Civil, si expresamente lo establecen los estatutos.

Artículo 14

Corresponde a la Junta de propietarios:

a) Nombrar y remover a las personas que ejerzan los cargos mencionados en el artículo anterior y resolver las reclamaciones que los titulares de los pisos o locales formulen contra la actuación de aquéllos.

b) Aprobar el plan de gastos e ingresos previsibles y las cuentas correspondientes.

c) Aprobar los presupuestos y la ejecución de todas las obras de reparación de la finca, sean ordinarias o extraordinarias, y ser informada de las medidas urgentes adoptadas por el administrador de conformidad con lo dispuesto en el artículo 20.c).

d) Aprobar o reformar los estatutos y determinar las normas de régimen interior.

e) Conocer y decidir en los demás asuntos de interés general para la comunidad, acordando las medidas necesarias o convenientes para el mejor servicio común.

Artículo 15

1. La asistencia a la Junta de propietarios será personal o por representación legal o voluntaria, bastando para acreditar ésta un escrito firmado por el propietario.

Si algún piso o local perteneciese pro indiviso a diferentes propietarios éstos nombrarán un representante para asistir y votar en las juntas.

Si la vivienda o local se hallare en usufructo, la asistencia y el voto corresponderá al nudo propietario, quien, salvo manifestación en contrario, se entenderá representado por el usufructuario, debiendo ser expresa la delegación cuando se trate de los acuerdos a que se refiere la regla primera del artículo 17 o de obras extraordinarias y de mejora.

2. Los propietarios que en el momento de iniciarse la junta no se encontrasen al corriente en el pago de todas las deudas vencidas con la comunidad y no hubiesen impugnado judicialmente las mismas o procedido a la consignación judicial o notarial de la suma adeudada, podrán participar en sus deliberaciones

si bien no tendrán derecho de voto. El acta de la Junta reflejará los propietarios privados del derecho de voto, cuya persona y cuota de participación en la comunidad no será computada a efectos de alcanzar las mayorías exigidas en esta Ley.

Artículo 16

1. La Junta de propietarios se reunirá por lo menos una vez al año para aprobar los presupuestos y cuentas y en las demás ocasiones que lo considere conveniente el presidente o lo pidan la cuarta parte de los propietarios, o un número de éstos que representen al menos el 25 por 100 de las cuotas de participación.

2. La convocatoria de las Juntas la hará el presidente y, en su defecto, los promotores de la reunión, con indicación de los asuntos a tratar, el lugar, día y hora en que se celebrará en primera o, en su caso, en segunda convocatoria, practicándose las citaciones en la forma establecida en el artículo 9. La convocatoria contendrá una relación de los propietarios que no estén al corriente en el pago de las deudas vencidas a la comunidad y advertirá de la privación del derecho de voto si se dan los supuestos previstos en el artículo 15.2.

Cualquier propietario podrá pedir que la Junta de propietarios estudie y se pronuncie sobre cualquier tema de interés para la comunidad; a tal efecto dirigirá escrito, en el que especifique claramente los asuntos que pide sean tratados, al presidente, el cual los incluirá en el orden del día de la siguiente Junta que se celebre.

Si a la reunión de la Junta no concurriesen, en primera convocatoria, la mayoría de los propietarios que representen, a su vez, la mayoría de las cuotas de participación se procederá a una segunda convocatoria de la misma, esta vez sin sujeción a quórum.

La Junta se reunirá en segunda convocatoria en el lugar, día y hora indicados en la primera citación, pudiendo celebrarse el mismo día si hubiese transcurrido media hora desde la anterior. En su defecto, será nuevamente convocada, conforme a los requisitos establecidos en este artículo, dentro de los ocho días naturales siguientes a la Junta no celebrada, cursándose en este caso las citaciones con una antelación mínima de tres días.

3. La citación para la Junta ordinaria anual se hará, cuando menos, con seis días de antelación, y para las extraordinarias, con la que sea posible para que pueda llegar a conocimiento de todos los interesados. La Junta podrá reunirse válidamente aun sin la convocatoria del presidente, siempre que concurran la totalidad de los propietarios y así lo decidan.

Artículo 17

Los acuerdos de la Junta de propietarios se sujetarán a las siguientes reglas:

1. La instalación de las infraestructuras comunes para el acceso a los servicios de telecomunicación regulados en el Real Decreto-ley 1/1998, de 27 de febrero,

sobre infraestructuras comunes en los edificios para el acceso a los servicios de telecomunicación, o la adaptación de los existentes, así como la instalación de sistemas comunes o privativos, de aprovechamiento de energías renovables, o bien de las infraestructuras necesarias para acceder a nuevos suministros energéticos colectivos, podrá ser acordada, a petición de cualquier propietario, por un tercio de los integrantes de la comunidad que representen, a su vez, un tercio de las cuotas de participación.

La comunidad no podrá repercutir el coste de la instalación o adaptación de dichas infraestructuras comunes, ni los derivados de su conservación y mantenimiento posterior, sobre aquellos propietarios que no hubieren votado expresamente en la Junta a favor del acuerdo. No obstante, si con posterioridad solicitasen el acceso a los servicios de telecomunicaciones o a los suministros energéticos, y ello requiera aprovechar las nuevas infraestructuras o las adaptaciones realizadas en las preexistentes, podrá autorizárseles siempre que abonen el importe que les hubiera correspondido, debidamente actualizado, aplicando el correspondiente interés legal.

No obstante lo dispuesto en el párrafo anterior respecto a los gastos de conservación y mantenimiento, la nueva infraestructura instalada tendrá la consideración, a los efectos establecidos en esta Ley, de elemento común.

2. Sin perjuicio de lo establecido en el artículo 10.1 b), la realización de obras o el establecimiento de nuevos servicios comunes que tengan por finalidad la supresión de barreras arquitectónicas que dificulten el acceso o movilidad de personas con discapacidad y, en todo caso, el establecimiento de los servicios de ascensor, incluso cuando impliquen la modificación del título constitutivo, o de los estatutos, requerirá el voto favorable de la mayoría de los propietarios, que, a su vez, representen la mayoría de las cuotas de participación.

Cuando se adopten válidamente acuerdos para la realización de obras de accesibilidad, la comunidad quedará obligada al pago de los gastos, aun cuando su importe repercutido anualmente exceda de doce mensualidades ordinarias de gastos comunes.

3. El establecimiento o supresión de los servicios de portería, conserjería, vigilancia u otros servicios comunes de interés general, supongan o no modificación del título constitutivo o de los estatutos, requerirán el voto favorable de las tres quintas partes del total de los propietarios que, a su vez, representen las tres quintas partes de las cuotas de participación.

Idéntico régimen se aplicará al arrendamiento de elementos comunes que no tengan asignado un uso específico en el inmueble y el establecimiento o supresión de equipos o sistemas, no recogidos en el apartado 1, que tengan por finalidad mejorar la eficiencia energética o hídrica del inmueble. En éste último caso, los acuerdos válidamente adoptados con arreglo a esta norma obligan a todos los propietarios. No obstante, si los equipos o sistemas tienen un aprovechamiento privativo, para la adopción del acuerdo bastará el voto favorable de un tercio de los integrantes de la comunidad que representen, a su vez, un tercio de las cuotas de participación, aplicándose, en este caso, el sistema de repercusión de costes establecido en dicho apartado.

4. Ningún propietario podrá exigir nuevas instalaciones, servicios o mejoras no requeridos para la adecuada conservación, habitabilidad, seguridad y accesibilidad del inmueble, según su naturaleza y características.

No obstante, cuando por el voto favorable de las tres quintas partes del total de los propietarios que, a su vez, representen las tres quintas partes de las cuotas de participación, se adopten válidamente acuerdos, para realizar innovaciones, nuevas instalaciones, servicios o mejoras no requeridos para la adecuada conservación, habitabilidad, seguridad y accesibilidad del inmueble, no exigibles y cuya cuota de instalación exceda del importe de tres mensualidades ordinarias de gastos comunes, el disidente no resultará obligado, ni se modificará su cuota, incluso en el caso de que no pueda privársele de la mejora o ventaja. Si el disidente desea, en cualquier tiempo, participar de las ventajas de la innovación, habrá de abonar su cuota en los gastos de realización y mantenimiento, debidamente actualizados mediante la aplicación del correspondiente interés legal.

No podrán realizarse innovaciones que hagan inservible alguna parte del edificio para el uso y disfrute de un propietario, si no consta su consentimiento expreso.

5. La instalación de un punto de recarga de vehículos eléctricos para uso privado en el aparcamiento del edificio, siempre que éste se ubique en una plaza individual de garaje, sólo requerirá la comunicación previa a la comunidad. El coste de dicha instalación y el consumo de electricidad correspondiente serán asumidos íntegramente por el o los interesados directos en la misma.

6. Los acuerdos no regulados expresamente en este artículo, que impliquen la aprobación o modificación de las reglas contenidas en el título constitutivo de la propiedad horizontal o en los estatutos de la comunidad, requerirán para su validez la unanimidad del total de los propietarios que, a su vez, representen el total de las cuotas de participación.

7. Para la validez de los demás acuerdos bastará el voto de la mayoría del total de los propietarios que, a su vez, representen la mayoría de las cuotas de participación. En segunda convocatoria serán válidos los acuerdos adoptados por la mayoría de los asistentes, siempre que ésta represente, a su vez, más de la mitad del valor de las cuotas de los presentes.

Cuando la mayoría no se pudiere lograr por los procedimientos establecidos en los apartados anteriores, el Juez, a instancia de parte deducida en el mes siguiente a la fecha de la segunda Junta, y oyendo en comparecencia los contradictores previamente citados, resolverá en equidad lo que proceda dentro de veinte días, contados desde la petición, haciendo pronunciamiento sobre el pago de costas.

8. Salvo en los supuestos expresamente previstos en los que no se pueda repercutir el coste de los servicios a aquellos propietarios que no hubieren votado expresamente en la Junta a favor del acuerdo, o en los casos en los que la modificación o reforma se haga para aprovechamiento privativo, se computarán como votos favorables los de aquellos propietarios ausentes de la Junta, debidamente citados, quienes una vez informados del acuerdo adoptado por los presentes, conforme al procedimiento establecido en el artículo 9, no manifiesten su discrepancia mediante comunicación a quien ejerza las funciones de secretario de la comunidad en el plazo de 30 días naturales, por cualquier medio que permita tener constancia de la recepción.

9. Los acuerdos válidamente adoptados con arreglo a lo dispuesto en este artículo obligan a todos los propietarios.

10. En caso de discrepancia sobre la naturaleza de las obras a realizar resolverá lo procedente la Junta de propietarios. También podrán los interesados solicitar arbitraje o dictamen técnico en los términos establecidos en la Ley.

11. Las derramas para el pago de mejoras realizadas o por realizar en el inmueble serán a cargo de quien sea propietario en el momento de la exigibilidad de las cantidades afectas al pago de dichas mejoras.

Artículo 18

1. Los acuerdos de la Junta de Propietarios serán impugnables ante los tribunales de conformidad con lo establecido en la legislación procesal general, en los siguientes supuestos:

a) Cuando sean contrarios a la ley o a los estatutos de la comunidad de propietarios.

b) Cuando resulten gravemente lesivos para los intereses de la propia comunidad en beneficio de uno o varios propietarios.

c) Cuando supongan un grave perjuicio para algún propietario que no tenga obligación jurídica de soportarlo o se hayan adoptado con abuso de derecho.

2. Estarán legitimados para la impugnación de estos acuerdos los propietarios que hubiesen salvado su voto en la Junta, los ausentes por cualquier causa y los que indebidamente hubiesen sido privados de su derecho de voto. Para impugnar los acuerdos de la Junta el propietario deberá estar al corriente en el pago de la totalidad de las deudas vencidas con la comunidad o proceder previamente a la consignación judicial de las mismas. Esta regla no será de aplicación para la impugnación de los acuerdos de la Junta relativos al establecimiento o alteración de las cuotas de participación a que se refiere el artículo 9 entre los propietarios.

3.   La acción caducará a los tres meses de adoptarse el acuerdo por la Junta de propietarios, salvo que se trate de actos contrarios a la ley o a los estatutos, en

cuyo caso la acción caducará al año. Para los propietarios ausentes dicho plazo se computará a partir de la comunicación del acuerdo conforme al procedimiento establecido en el artículo 9.

4. La impugnación de los acuerdos de la Junta no suspenderá su ejecución, salvo que el juez así lo disponga con carácter cautelar, a solicitud del demandante, oída la comunidad de propietarios.

Artículo 19

1. Los acuerdos de la Junta de propietarios se reflejarán en un libro de actas diligenciado por el Registrador de la Propiedad en la forma que reglamentariamente se disponga.

2. El acta de cada reunión de la Junta de propietarios deberá expresar, al menos, las siguientes circunstancias:

a) La fecha y el lugar de celebración.

b) El autor de la convocatoria y, en su caso, los propietarios que la hubiesen promovido.

c) Su carácter ordinario o extraordinario y la indicación sobre su celebración en primera o segunda convocatoria.

d) Relación de todos los asistentes y sus respectivos cargos, así como de los propietarios representados, con indicación, en todo caso, de sus cuotas de participación.

e) El orden del día de la reunión.

f) Los acuerdos adoptados, con indicación, en caso de que ello fuera relevante para la validez del acuerdo, de los nombres de los propietarios que hubieren votado a favor y en contra de los mismos, así como de las cuotas de participación que respectivamente representen.

3. El acta deberá cerrarse con las firmas del presidente y del secretario al terminar la reunión o dentro de los diez días naturales siguientes. Desde su cierre los acuerdos serán ejecutivos, salvo que la Ley previere lo contrario.

El acta de las reuniones se remitirá a los propietarios de acuerdo con el procedimiento establecido en el artículo 9.

Serán subsanables los defectos o errores del acta siempre que la misma exprese inequívocamente la fecha y lugar de celebración, los propietarios asistentes, presentes o representados, y los acuerdos adoptados, con indicación de los votos a favor y en contra, así como las cuotas de participación que respectivamente supongan y se encuentre firmada por el presidente y el secretario. Dicha subsanación deberá efectuarse antes de la siguiente reunión de la Junta de propietarios, que deberá ratificar la subsanación.

4. El secretario custodiará los libros de actas de la Junta de propietarios. Asimismo deberá conservar, durante el plazo de cinco años las convocatorias, comunicaciones, apoderamientos y demás documentos relevantes de las reuniones.

Artículo 20

Corresponde al administrador:

a) Velar por el buen régimen de la casa, sus instalaciones y servicios, y hacer a estos efectos las oportunas advertencias y apercibimientos a los titulares.

b) Preparar con la debida antelación y someter a la Junta el plan de gastos previsibles, proponiendo los medios necesarios para hacer frente a los mismos.

c) Atender a la conservación y entretenimiento de la casa, disponiendo las reparaciones y medidas que resulten urgentes, dando inmediata cuenta de ellas al presidente o, en su caso, a los propietarios.

d) Ejecutar los acuerdos adoptados en materia de obras y efectuar los pagos y realizar los cobros que sean procedentes.

e) Actuar, en su caso, como secretario de la Junta y custodiar a disposición de los titulares la documentación de la comunidad.

f) Todas las demás atribuciones que se confieran por la Junta.

Artículo 21

1. Las obligaciones a que se refieren los apartados e) y f) del artículo 9 deberán cumplirse por el propietario de la vivienda o local en el tiempo y forma determinados por la Junta. En caso contrario, el presidente o el administrador, si así lo acordase la junta de propietarios, podrá exigirlo judicialmente a través del proceso monitorio.

2. La utilización del procedimiento monitorio requerirá la previa certificación del acuerdo de la Junta aprobando la liquidación de la deuda con la comunidad de propietarios por quien actúe como secretario de la misma, con el visto bueno del presidente, siempre que tal acuerdo haya sido notificado a los propietarios afectados en la forma establecida en el artículo 9.

3. A la cantidad que se reclame en virtud de lo dispuesto en el apartado anterior podrá añadirse la derivada de los gastos del requerimiento previo de pago, siempre que conste documentalmente la realización de éste, y se acompañe a la solicitud el justificante de tales gastos.

4. Cuando el propietario anterior de la vivienda o local deba responder solidariamente del pago de la deuda, podrá dirigirse contra él la petición inicial, sin perjuicio de su derecho a repetir contra el actual propietario. Asimismo se podrá dirigir la reclamación contra el titular registral, que gozará del mismo derecho mencionado anteriormente.

En todos estos casos, la petición inicial podrá formularse contra cualquiera de los obligados o contra todos ellos conjuntamente.

5. Cuando el deudor se oponga a la petición inicial del proceso monitorio, el acreedor podrá solicitar el embargo preventivo de bienes suficientes de aquél, para hacer frente a la cantidad reclamada, los intereses y las costas.

El tribunal acordará, en todo caso, el embargo preventivo sin necesidad de que el acreedor preste caución. No obstante, el deudor podrá enervar el embargo prestando aval bancario por la cuantía por la que hubiese sido decretado.

6. Cuando en la solicitud inicial del proceso monitorio se utilizaren los servicios profesionales de abogado y procurador para reclamar las cantidades debidas a la Comunidad, el deudor deberá pagar, con sujeción en todo caso a los límites establecidos en el apartado tercero del artículo 394 de la Ley de Enjuiciamiento Civil, los honorarios y derechos que devenguen ambos por su intervención, tanto si aquél atendiere el requerimiento de pago como si no compareciere ante el tribunal.

En los casos en que exista oposición, se seguirán las reglas generales en materia de costas, aunque si el acreedor obtuviere una sentencia totalmente favorable a su pretensión, se deberán incluir en ellas los honorarios del abogado y los derechos del procurador derivados de su intervención, aunque no hubiera sido preceptiva.

Artículo 22

1. La comunidad de propietarios responderá de sus deudas frente a terceros con todos los fondos y créditos a su favor. Subsidiariamente y previo requerimiento de pago al propietario respectivo, el acreedor podrá dirigirse contra cada propietario que hubiese sido parte en el correspondiente proceso por la cuota que le corresponda en el importe insatisfecho.

2. Cualquier propietario podrá oponerse a la ejecución si acredita que se encuentra al corriente en el pago de la totalidad de las deudas vencidas con la comunidad en el momento de formularse el requerimiento a que se refiere el apartado anterior.

Si el deudor pagase en el acto de requerimiento, serán de su cargo las costas causadas hasta ese momento en la parte proporcional que le corresponda.

Artículo 23

El régimen de propiedad horizontal se extingue:

1. Por la destrucción del edificio, salvo pacto en contrario. Se estimará producida aquélla cuando el coste de la reconstrucción exceda del cincuenta por ciento del valor de la finca al tiempo de ocurrir el siniestro, a menos que el exceso de dicho coste esté cubierto por un seguro.

2. Por conversión en propiedad o copropiedad ordinarias.

CAPÍTULO III. DEL RÉGIMEN DE LOS COMPLEJOS INMOBILIARIOS PRIVADOS

Artículo 24

1. El régimen especial de propiedad establecido en el artículo 396 del Código Civil será aplicable a aquellos complejos inmobiliarios privados que reúnan los siguientes requisitos:

a) Estar integrados por dos o más edificaciones o parcelas independientes entre sí cuyo destino principal sea la vivienda o locales.

b) Participar los titulares de estos inmuebles, o de las viviendas o locales en que se encuentren divididos horizontalmente, con carácter inherente a dicho derecho, en una copropiedad indivisible sobre otros elementos inmobiliarios, viales, instalaciones o servicios.

2. Los complejos inmobiliarios privados a que se refiere el apartado anterior podrán:

a) Constituirse en una sola comunidad de propietarios a través de cualquiera de los procedimientos establecidos en el párrafo segundo del artículo 5. En este caso quedarán sometidos a las disposiciones de esta Ley, que les resultarán íntegramente de aplicación.

b) Constituirse en una agrupación de comunidades de propietarios. A tal efecto, se requerirá que el título constitutivo de la nueva comunidad agrupada sea otorgado por el propietario único del complejo o por los presidentes de todas las comunidades llamadas a integrar aquélla, previamente autorizadas por acuerdo mayoritario de sus respectivas Juntas de propietarios. El título constitutivo contendrá la descripción del complejo inmobiliario en su conjunto y de los elementos, viales, instalaciones y servicios comunes. Asimismo fijará la cuota de participación de cada una de las comunidades integradas, las cuales responderán conjuntamente de su obligación de contribuir al sostenimiento de los gastos generales de la comunidad agrupada. El título y los estatutos de la comunidad agrupada serán inscribibles en el Registro de la Propiedad.

3. La agrupación de comunidades a que se refiere el apartado anterior gozará, a todos los efectos, de la misma situación jurídica que las comunidades de propietarios y se regirá por las disposiciones de esta Ley, con las siguientes especialidades:

a) La Junta de propietarios estará compuesta, salvo acuerdo en contrario, por los presidentes de las comunidades integradas en la agrupación, los cuales ostentarán la representación del conjunto de los propietarios de cada comunidad.

b) La adopción de acuerdos para los que la ley requiera mayorías cualificadas exigirá, en todo caso, la previa obtención de la mayoría de que se trate en cada una de las Juntas de propietarios de las comunidades que integran la agrupación.

c) Salvo acuerdo en contrario de la Junta no será aplicable a la comunidad agrupada lo dispuesto en el artículo 9 de esta Ley sobre el fondo de reserva.

La competencia de los órganos de gobierno de la comunidad agrupada únicamente se extiende a los elementos inmobiliarios, viales, instalaciones y servicios comunes. Sus acuerdos no podrán menoscabar en ningún caso las facultades que corresponden a los órganos de gobierno de las comunidades de propietarios integradas en la agrupación de comunidades.

4. A los complejos inmobiliarios privados que no adopten ninguna de las formas jurídicas señaladas en el apartado 2 les serán aplicables, supletoriamente respecto de los pactos que establezcan entre sí los copropietarios, las disposiciones de esta Ley con las mismas especialidades señaladas en el apartado anterior.

DISPOSICIÓN ADICIONAL

1. Sin perjuicio de las disposiciones que en uso de sus competencias adopten las Comunidades Autónomas, la constitución del fondo de reserva regulado en el artículo 9.1.f) se ajustará a las siguientes reglas:

a) El fondo deberá constituirse en el momento de aprobarse por la Junta de propietarios el presupuesto ordinario de la comunidad correspondiente al ejercicio anual inmediatamente posterior a la entrada en vigor de la presente disposición.

Las nuevas comunidades de propietarios constituirán el fondo de reserva al aprobar su primer presupuesto ordinario.

b) En el momento de su constitución el fondo estará dotado con una cantidad no inferior al 2,5 por 100 del presupuesto ordinario de la comunidad. A tal efecto, los propietarios deberán efectuar previamente las aportaciones necesarias en función de su respectiva cuota de participación.

c) Al aprobarse el presupuesto ordinario correspondiente al ejercicio anual inmediatamente posterior a aquel en que se constituya el fondo de reserva, la dotación del mismo deberá alcanzar la cuantía mínima establecida en el artículo 9.

2. La dotación del fondo de reserva no podrá ser inferior, en ningún momento del ejercicio presupuestario, al mínimo legal establecido.

Las cantidades detraídas del fondo durante el ejercicio presupuestario para atender los gastos de las obras o actuaciones incluidas en el artículo 10 se computarán como parte integrante del mismo a efectos del cálculo de su cuantía mínima.

Al inicio del siguiente ejercicio presupuestario se efectuarán las aportaciones necesarias para cubrir las cantidades detraídas del fondo de reserva conforme a lo señalado en el párrafo anterior.

DISPOSICIONES TRANSITORIAS

Primera

La presente Ley regirá todas las comunidades de propietarios, cualquiera que sea el momento en que fueron creadas y el contenido de sus estatutos, que no podrán ser aplicados en contradicción con lo establecido en la misma.

En el plazo de dos años, a contar desde la publicación de esta Ley en el «Boletín Oficial del Estado», las comunidades de propietarios deberán adaptar sus estatutos a lo dispuesto en ella en lo que estuvieren en contradicción con sus preceptos.

Transcurridos los dos años, cualquiera de los propietarios podrá instar judicialmente la adaptación prevenida en la presente disposición por el procedimiento señalado en el número segundo del artículo dieciséis.

Segunda

En los actuales estatutos reguladores de la propiedad por pisos en los que esté establecido el derecho de tanteo y retracto en favor de los propietarios, se entenderán los mismos modificados en el sentido de quedar sin eficacia tal derecho, salvo que, en nueva junta, y por mayoría que represente, al menos, el ochenta por ciento de los titulares, se acordare el mantenimiento de los citados derechos de tanteo y retracto en favor de los miembros de la comunidad.

DISPOSICIÓN FINAL

Quedan derogadas cuantas disposiciones se opongan a lo establecido en esta Ley.

16. DICCIONARIO DE VOCABLOS RELACIONADOS CON LAS COMUNIDADES DE PROPIETARIOS

ABANDONO.- Acto de renuncia, desposesión o dejación de una cosa (mueble o inmueble) o derecho, que da lugar a la extinción del derecho de propiedad o dominio.

ABONAR.- Pagar.// Acreditar.// En la contabilidad, reflejar en el haber el correspondiente asiento.

ABSOLUCIÓN.- Exculpación.// Fallo judicial por el que se declara no haber lugar a la pretensión del demandante contra el demandado.

ABSTENCIÓN.- Inhibición.//En las Juntas de Propietarios, una de las posibilidades en las votaciones, además del voto a favor o en contra de la respectiva propuesta.

ACCIÓN.- Derecho que puede ejercitar cualquier persona acudiendo a los tribunales para conseguir una resolución sobre cualquier asunto en el que se considere perjudicada o exista alguna controversia.

ACREDITAR.- (Der.) autorizar o dar poderes a una persona para realizar cualquier mandato cuyo desempeño lo exija.// (Cont.) Abonar. *«Quien recibe, debe, quien paga, acredita».* Asentar en el haber una cantidad.

ACREEDOR.- Persona con derecho a exigir el pago de una deuda con él contraída.

ACTA.- Documento que recoge los sucesos y acuerdos adoptados en las Juntas de Propietarios, que debe transcribirse al Libro correspondiente, y ser firmado por el Secretario y el Presidente, aunque es conveniente que lo firmen todos los asistentes.

ACTA DE NOTORIEDAD.- Documento notarial que reconoce determinados hechos o situaciones, por ser públicos y notorios, que pueden generar expectativas de derechos.

ACTA DE REQUERIMIENTO.- Documento que traslada a la persona notificada la pretensión de que realice o deje de realizar una determinada acción, o de que efectúe una declaración sobre un tema concreto.

ACTA NOTARIAL.- Documento, extendido por notario, de cualquier acto, hecho o suceso que presencia, en su calidad de fedatario público.

ACTIVIDADES DAÑOSAS.- Actos que pueden provocar estados de riesgo para el conjunto del inmueble, derivados de actuaciones irresponsables que afectan a la estructura del edificio. (Alterar la configuración de una pared maestra, por ejemplo).

ACTIVIDADES INSALUBRES.- Las que den lugar a desprendimiento o evacuación de productos que puedan resultar directa o indirectamente perjudiciales para la salud humana.

ACTIVIDADES MOLESTAS.- Las que constituyan una incomodidad por los ruidos o vibraciones que produzcan o por los humos, gases, olores, nieblas, polvos en suspensión o substancias que eliminen. Son equivalentes a las actividades incómodas.

ACTIVIDADES NOCIVAS.- Las que puedan ocasionar daños a la riqueza agrícola, forestal, pecuaria o piscícola. Por extensión, las que puedan afectar a los usuarios del inmueble, más graves que las molestas.

ACTIVIDADES PELIGROSAS.- Las que tengan por objeto fabricar, manipular, expender o almacenar productos susceptibles de originar riesgos graves por explosiones, combustiones, radiaciones u otros de análoga importancia para las personas o los bienes.

ACTIVO.- Valor total de los bienes y derechos de una persona, física o jurídica.

ACTO ADMINISTRATIVO.- Declaración de voluntad, de juicio, de conocimiento o de deseo realizado por la Administración en el ejercicio de una potestad administrativa (García de Enterría).

ACTO DE CONCILIACIÓN.- Procedimiento previo al pleito, con el propósito de no llegar a celebrarlo si acaba con acuerdo entre las partes y que se realiza ante la autoridad judicial.

ACTO JURÍDICO.- Hecho derivado de la voluntad humana que genera efectos jurídicos, lícitos o ilícitos, sancionables o no sancionables.

ACTO JURÍDICO DOCUMENTADO.- Recogido en el Impuesto de Transmisiones Patrimoniales y Actos Jurídicos Documentados, cualquier documento gravado con dicho impuesto, de índole mercantil o notarial.

ACTOR.- Demandante.// Persona que en cualquier proceso ejercita la acción de demandar.

ACTOS PROPIOS.- Doctrina por la cual nadie puede ir, válidamente, en contra de sus propios actos y en perjuicio de terceros.

ACTUACIÓN DE OFICIO.- La que se produce por iniciativa de la autoridad competente, administrativa o judicial, sin que exista petición de cualquiera de las partes o de la parte si el acto fuera unipersonal.

ACTUACIONES ADMINISTRATIVAS.- Las que tienen lugar en el proceso administrativo, que conforman los trámites que constituyen el expediente, hasta agotar el procedimiento.

ACTUACIONES JUDICIALES.- Conjunto de acciones que engloban el proceso judicial y/o los actos que de él proceden.

ACUERDO.- Determinación adoptada, bien por unanimidad, bien por mayoría, por los asistentes a la Junta de Propietarios de la Comunidad, en base a las propuestas provenientes de los asuntos a tratar, según el Orden del Día prefijado.

ACUERDO DE LAS PARTES.- Pacto entre las partes que intervienen en un proceso judicial para llegar a un acuerdo previo con el que finaliza el litigio.

ACUERDOS (EN LA LPH).- V. acuerdo.

ACUERDO UNÁNIME.- Decisión adoptada por la totalidad de los presentes y representados en una Junta de Copropietarios respecto a cualquier propuesta realizada que, por regla general, debe provenir de cualquier punto contenido en el Orden del Día.

ACUMULACIÓN.- Reunión de mas de una acción de demanda, si son conjugables, en un mismo procedimiento judicial para que se resuelvan en la misma sentencia, por economía procesal.

ADEUDAR.- Anotar una cantidad en el «Debe» de una cuenta.

ADMINISTRADO.- Cualquier persona sujeta a las acciones, intervenciones y resoluciones de la Administración, estatal o autonómica.

ADMINISTRADOR.- Persona que gestiona los bienes e intereses de otras personas, físicas o jurídicas.

ADMINISTRADOR DE FINCAS.- Profesional colegiado que gestiona todos los asuntos relativos al buen funcionamiento de las comunidades de propietarios cuyas funciones vienen recogidas en el art. 20 de la LPH.

ADVERAR.- Reconocer, como cierto, alguna cosa o documento, legalizándolo jurídicamente.// Autenticar.

AFECTACIÓN.- Carga que soporta un bien, generalmente inmueble, para responder del cumplimiento de una obligación por parte de su propietario.

AGENTE JUDICIAL.- Funcionario encargado de ejecutar las órdenes emanadas de la autoridad judicial.

AGRUPACIÓN DE FINCAS REGISTRALES.- Englobamiento de varias fincas inmatriculadas para conformar una nueva finca registral.

AGUAS FECALES.- Dícese de las que provienen de la utilización de los servicios higiénico-sanitarios (bañeras, bidets, lavabos, inodoros, etc) e incluso de los desagües de las cocinas (lavadoras, fregaderos, etc).

ALÍCUOTA.- Dícese de cada una de las partes iguales en que se divide un todo.

ALZAMIENTO DE BIENES.- Delito realizado por aquella persona que oculta sus bienes, los vende simulada o fraudulentamente, o desaparece con ellos, con la intención de evitar las acciones de resarcimiento que puedan emprender sus acreedores sobre aquellos.

ALZAMIENTO DE EMBARGO.- Acto mediante el cual se procede a suprimir o dejar sin efecto el embargo existente sobre cualquier bien.

AMORTIZAR.- Captar y valorar el desgaste físico, obsolescencia técnica, etc. de los elementos del inmovilizado, llevándolo como gasto al «Debe» de Pérdidas y Ganancias al final del ejercicio. // Restituir mediante entregas periódicas préstamos o créditos recibidos.

ANEJO.- Anexo. // Parte de un bien unido o agregado a otra parte principal, de la que es dependiente.

ANEJO INSEPARABLE.- Partes del bien inmueble, vivienda o local que no son susceptibles de división y que sólo pueden ser enajenadas, gravadas o embargadas juntamente con la parte principal o privativa.

ANOTACIÓN DE EMBARGO.- Apunte realizado por el encargado del registro correspondiente al bien sobre el que se realiza el embargo, por mandamiento judicial.

ANOTACIÓN EN CUENTA.- Registrar en el «Debe» o en el «Haber» de las cuentas cualquier cantidad.

ANULABILIDAD.- Adolecen de anulabilidad aquellos actos que no son contrarios a las normas imperativas, la moral o el orden público, pero que sí sufren de algún vicio (ya sea en el consentimiento, contenido o en la forma), estos actos con el tiempo pueden devenir válidos si transcurre un determinado período de tiempo. Así, pues, mientras no se declare judicialmente su nulidad se considerarán válidos.

APELACIÓN.- Recurso de la parte perjudicada por sentencia judicial ante el Tribunal superior.

APELADO.- Parte favorecida por sentencia judicial que es recurrida por la parte contraria.

APELANTE.- Parte que recurre la sentencia judicial adversa a sus intereses.

APELAR.- Recurrir. (V. apelación).

APERCIBIMIENTO.- Acción y efecto de apercibir. Notificación, citación o requerimiento que subraya las consecuencias del incumplimiento de la acción que se transmite.

APÓCRIFO.- Documento falsificado, fingido o inauténtico.

APODERADO.- Persona que tiene poder para representar a otra, en su nombre y actuar según su leal saber y entender. // Representante, mandatario.

APODERAMIENTO.- Acto mediante el cual una persona confiere poderes a otra para que la represente, en juicio o fuera de él, y actúe en su nombre.

ARBITRAJE.- Actuación extrajudicial para resolver conflictos entre las partes afectadas, recurriendo a la decisión de un tercero que, generalmente, aquellas se obligan, de antemano, a cumplir.

ARQUEO.- Acto de comprobación de las operaciones realizadas en caja, con recuento del efectivo.

ASIENTO.- Anotación de cualquier operación económica en el libro Diario.

AVAL.- Documento firmado que garantiza el cumplimiento de una obligación.

AVALISTA.- Persona física o jurídica que asume la responsabilidad del pago en el supuesto de que la persona obligada no lo hiciera.

AVALÚO.- Valoración o evaluación de cualquier bien, realizada por peritos.

AVENENCIA.- Acuerdo entre las partes en litigio, mediante acto de conciliación, previo a la promoción del juicio y celebrado ante el Juez competente.

BALANCE.- Expresión contable relativa al cálculo del valor del activo y del pasivo para conocer la situación económica de un negocio, empresa o comunidad.

BIENES INMUEBLES.- Todos aquellos bienes, adheridos a la tierra, que no puedan ser transportados sin que se deterioren o destruyan. Se enumeran en el art. 334 del CC.

BIENES MUEBLES.- Los que pueden transportarse de un sitio a otro sin menoscabo de la cosa inmueble a la que estuviesen unidos.

BIOMASA.- Término utilizado en biología con distintos significados. En relación con la tenencia de animales en viviendas, debe entenderse como la suma total de la materia de los seres que viven en un lugar determinado, expresada habitualmente en peso global.

CAPITAL.- Caudal de bienes que constituyen el patrimonio de una empresa o persona natural. Es un concepto del Pasivo del Balance.

CAPITAL INMOBILIARIO.- El formado por bienes inmuebles, como fincas rústicas y urbanas.

CARGAS.- Hipoteca, servidumbre, censo o cualquier otro gravamen que se impone sobre la propiedad, generalmente de bienes inmuebles.

CARTA DE PAGO.- Documento, público o privado, en el que el acreedor reconoce o confiesa haber recibido del deudor toda la cantidad que éste le debía, o una parte de ella.

CAUCIÓN.- Prevención, cautela. // Seguridad de que se cumplirá lo pactado.

CITACIÓN.- Emplazamiento por el cual se convoca a determinada persona para que comparezca a un acto concreto, judicial o extrajudicial, especificando día y hora.

CLÁUSULA.- Cada una de las disposiciones contenidas en cualquier contrato, convenio, testamento o tratado, o cualquier otro tipo de documento, público o privado, que confieren especificidad al mismo.

COLINDANTE.- Contiguo, limítrofe. // Dícese de los edificios que están uno al lado del otro.

COMUNERO.- Persona que tiene en común, con otra u otras, el derecho compartido a la titularidad de parte indivisa sobre una cosa, derecho o bien inmueble.// Copropietario.// Condómino.// Condueño.

COMUNIDAD DE PROPIETARIOS.- Conjunto de propietarios de todas las viviendas y locales de un edificio que tienen el derecho de propiedad proindiviso sobre los elementos comunes del inmueble. (V. art. 392 del CC).

CONDOMINIO.- Dominio en común. // Copropiedad.

CONDOMINO.- Copropietario.

CONDUEÑO.- Copropietario.// Condómino.

CONTRAVENIR.- Transgredir, de forma benigna, las disposiciones y reglamentos. Constituye una falta, sancionable a título preventivo la contravención de cualquier norma.

CONTRIBUCIÓN.- Carga o tributo impuesto por el Estado a las personas, en función de sus propiedades, actividades profesionales o industriales o de los productos que puede consumir, para cooperar al sostenimiento del gasto público.

CONTRIBUCIÓN TERRITORIAL.- Tributo que grava la propiedad inmobiliaria, bien sea rústica o urbana. Actualmente se denomina Impuesto sobre Bienes Inmuebles.

CONTRIBUCIÓN URBANA.- Contribución territorial urbana.

CONVOCATORIA.- Escrito de citación a la Junta de Propietarios, Ordinaria o Extraordinaria, en el que se hacen constar los asuntos a tratar, el lugar, día y hora en que se celebrará la Junta en primera o en segunda convocatoria y una relación de los propietarios que no estén al corriente en el pago de las deudas vencidas a la comunidad, con la advertencia de la privación del derecho de voto si se dan los presupuestos legales para ello.

COPROPIETARIO.- Condueño.// Comunero.// Condómino.

COSTAS.- Conjunto de gastos que se originan durante un proceso judicial, en el que se incluyen los honorarios de letrados, procuradores y peritos y que normalmente se imponen a la parte vencida, o a la que el Juez dictamine, si considera la existencia de temeridad en la interposición del litigio.

CRÉDITO.- Préstamo de dinero o de un bien que el acreedor realiza a favor del deudor, con promesa y/o garantía de devolución.

CUENTA.- Registro regular donde se asientan las operaciones pecuniarias, en el Debe o en el Haber.

CUENTA CORRIENTE.- Contrato entre dos partes en el que se reflejan la variabilidad de sus saldos, positivos o negativos y sobre los que se conviene un tipo de interés recíproco o no recíproco.

CUOTA.- Asignación de parte sobre un todo a cada uno de los copropietarios de la cosa o bien.

CUOTA DE PARTICIPACIÓN.- Porcentaje, expresado en centésimas, que se asigna a cada vivienda o local de una finca urbana o edificio, que conlleva la participación, en la proporción determinada, en los gastos del inmueble y el reflejo del valor proporcional de los elementos privativos y comunes que sobre el total del edificio se posee.

CHEQUE.- Documento, título o instrumento bancario que contiene una orden de pago, emitida por el titular de la cuenta corriente o librador, contra el banco o librado, a favor del primero, el librador, o de un tercero llamado tomador.

CHEQUE CONFORMADO.- El refrendado por la propia entidad bancaria.

CHEQUE CRUZADO.- También llamado barrado. Es el que lleva en el anverso dos barras o líneas paralelas con el objeto de que no pueda ser cobrado mas que a través de su ingreso en cuenta, para su mejor control.

CHEQUE NOMINATIVO.- El extendido a nombre de persona física o jurídica.

CHEQUE AL PORTADOR.- El que no va nominado, pudiendo ser cobrado por cualquiera.

DACIÓN.- Acción y efecto de dar, entregar.

DACIÓN DE CUENTAS.- Dar, entregar o justificar un estado de cuentas o balance sobre determinada situación económica, a fecha fija.

DEBE.- Columna de los libros de contabilidad que refleja los apuntes deudores. «El que recibe, debe y el que paga, acredita».

DÉBITO.- Deuda.

DECLARACIÓN JURADA.- Proclamación realizada, generalmente por escrito, por cualquier persona física, ante el organismo competente por motivos de propiedad de bienes o tributarios, carencia de los mismos u otros.

DECLARACIÓN DE OBRA NUEVA.- Escritura pública en la que se refleja la descripción de la obra nueva realizada como consecuencia de la construcción de un edificio, que se inscribe en el Registro de la Propiedad.

DÉFICIT.- Desequilibrio resultante por un exceso de los gastos sobre las ganancias. El déficit público se produce cuando la suma de los ingresos es inferior a los gastos estatales.

DERECHO DE RETRACTO.- Derecho que tienen determinadas personas para adquirir una cosa o bien, vendida a un tercero, por el tanto de su precio.

DERECHO DE TANTEO.- Derecho que posee determinada persona sobre cualquier otra para obtener una cosa o bien cuyo propietario desee enajenar, adquiriéndola por el mismo precio y condiciones. // Preferencia en el tanteo.

DERRAMA.- En las comunidades de propietarios, reparto de un gasto, generalmente imprevisto y ocasional, generado como consecuencia de la necesidad inmediata de proceder a una reparación o avería para la que no hay fondos disponibles.

DESAHUCIO.- Acción mediante la cual se procede a desalojar al inquilino o arrendatario de una vivienda, para restituir la posesión a su propietario, a partir de un procedimiento judicial. // Desalojo.

DESALOJO.- V. Desahucio.

DESCUBIERTO.- Cantidad que falta en las cuentas para hacer frente a los cargos que se producen.

DIARIO.- Uno de los libros de la contabilidad de cualquier empresa, en el que se anotan, día a día, las operaciones realizadas.

DISIDENTE.- Disconforme. // Dícese del propietario que discrepa de cualquier acuerdo contrario o lesivo a sus intereses, adoptado en la Junta de Propietarios.

ELEMENTO COMÚN.- Cualquier parte del edificio, no privativa, necesaria para su adecuado uso y disfrute y que pertenece, proindiviso, a todos los copropietarios de la finca urbana. Su descripción se recoge en el art. 396 del CC.

ELEMENTO PRIVATIVO.- Espacio suficientemente delimitado y susceptible de aprovechamiento independiente, con los elementos arquitectónicos e instalaciones de todas clases, aparentes o no, que estén incluidos dentro de sus límites y sirvan exclusivamente al propietario. (Art. 3.a LPH).// Vivienda o local perteneciente a un copropietario.

EMBARGO.- Retención o traba de bienes ordenada por la autoridad judicial o administrativa, como consecuencia de una deuda o delito, para garantizar, en cantidad suficiente el pago o la responsabilidad derivada de la falta.

EMBARGO PREVENTIVO.- Embargo que se solicita al Juez junto a la demanda y en ocasiones previamente, para evitar que el deudor pueda realizar un alzamiento de bienes.

ENAJENACIÓN.- Acción y efecto de enajenar.// Acto jurídico por el cual una persona transmite a otra u otras el dominio de una cosa o un derecho que le pertenece.

ESTATUTO.- Conjunto de normas, aprobadas unánimemente por copropietarios de un inmueble constituido en propiedad horizontal, que tienen fuerza de ley para obligar a todos los condominios y arrendatarios del inmueble, presentes y futuros, siempre que no contravengan la legislación vigente y estén inscritos en el Registro de la Propiedad.

EXONERACIÓN.- Acción y efecto de exonerar.

EXONERAR.- Eximir o liberar a alguien de determinada obligación.

EXTRACTO.- Resumen del movimiento realizado en una cuenta en un periodo de tiempo determinado.

FEHACIENTE.- Verdadero, irrebatible, auténtico, fidedigno, cierto.

FONDO DE RESERVA.- Cantidad depositada por los propietarios de una comunidad, en la cuenta de la misma, para hacer frente a los gastos de reparación y conservación de la finca. Su constitución es obligatoria.

GANANCIAS Y PÉRDIDAS.- V. pérdidas y ganancias.

GASTOS GENERALES.- Los derivados de los actos realizados para el sostenimiento y conservación del inmueble que no son susceptibles de ser individualizados, a los que hace frente cada comunero o copropietario, habitualmente en función de la cuota de participación y, en algunas ocasiones, a partes iguales.

GRAVAMEN.- Carga u obligación que se impone, generalmente sobre un bien.

GRAVAR.- Imponer una carga o gravamen, sobre un bien inmueble por regla general.

HABER.- Columna de los libros de contabilidad que refleja los apuntes acreedores. «Quien recibe, debe, quien paga, acredita».

HIPOTECA.- Derecho real que sujeta determinados bienes, sobre todo inmuebles, al cumplimiento de una obligación. El dueño mantiene la propiedad, pero el acreedor puede solicitar la venta del bien si el deudor no cumple su compromiso de pago.

INDIVISO.- Cosas sin dividir, que pertenecen a una comunidad de propietarios.

INMATRICULACIÓN.- Primera inscripción de cada edificio o finca urbana el Registro de la Propiedad.

INMOBILIARIO.- Referido a bienes inmuebles, fincas rústicas o urbanas.

INMOVILIZADO MATERIAL.- Son los elementos patrimoniales que perduran durante algún tiempo que no se venden y su productividad radica en el servicio que prestan a la empresa tales como las instalaciones, maquinarias, vehículos etc.

INMOVILIZADO INMATERIAL.- Está constituido por valores intangibles, como patentes, marcas, fondo de comercio, etc.

INMUEBLE.- (V. Bienes inmuebles).

INSALUBRE.- (V. actividades insalubres).

INSCRIPCIÓN EN REGISTRO DE LA PROPIEDAD.- Anotación en el Libro de Inscripciones del Registro de la Propiedad, correspondiente al bien inmueble afectado, que refleja la constitución o modificación de un derecho real.

INTERÉS.- Rendimiento que produce el capital en el transcurso del tiempo.

INTERÉS DE DEMORA.- El interés que puede ser exigido como sanción cuando no se cumple la obligación de pago en los plazos estipulados de antemano.

INTERÉS LEGAL.- El que fija la ley, para conocer el precio del dinero, y que se publica, anualmente en la Ley de los Presupuestos Generales del Estado.

IUS COGENS.- Con esta expresión se designa al Derecho impositivo o taxativo que no puede ser excluido por la voluntad de los obligados a cumplirlo. El Derecho impositivo o de «ius cogens» se debe observar necesariamente, en cuanto sus normas tutelan intereses de carácter público o general.

IUS DISPOSITIUM.- Al utilizar esta expresión nos referimos al Derecho dispositivo o supletorio, el cual puede ser sustituido o excluido por la voluntad de los sujetos a los que se dirige.

JUNTA DE PROPIETARIOS.- Reunión de propietarios, previamente acordada mediante convocatoria, para atender y resolver los problemas derivados de la Comunidad y del mantenimiento del edificio.

JUNTA GENERAL ORDINARIA.- Se celebra, preceptivamente, al menos una vez al año, convocando a los copropietarios al menos con seis días de antelación, para aprobar las cuentas del ejercicio anterior y los presupuestos, si procede, aparte de otros asuntos que se contemplen en el Orden del Día.

JUNTA GENERAL EXTRAORDINARIA.- Se celebrará en cualquier ocasión en que la convoque el Presidente o lo pidan la cuarta parte de los propietarios o un número de estos que representen al menos el 25% de las cuotas de participación, convocando con la antelación suficiente para que pueda llegar a conocimiento de todos los interesados.

LANZAMIENTO.- Ejecución de sentencia para obligar por la fuerza al desalojo de los inquilinos en los procedimientos por desahucio.

LAUDO.- Fallo o resolución dictada por los árbitros, en los arbitrajes de derecho o equidad, en el que se resuelve el conflicto surgido entre las partes que acatan la decisión.

LIBRO DE ACTAS.- Aquel que deben llevar obligatoriamente las Comunidades de Propietarios y en los que se deben reflejar todas las actas de las Juntas celebradas por la Comunidad, Ordinarias y Extraordinarias, con expresión concisa de todos los acuerdos adoptados y situaciones más relevantes acaecidas en el transcurso de las juntas.

LIQUIDACIÓN.- En las comunidades de propietarios, avance mensual, bimensual o trimestral de los gastos ocasionados durante el periodo, transmitido a los propietarios.

LITISCONSORCIO.- Reunión de varias partes, como demandantes (Litisconsorcio activo) o como demandadas (Litisconsorcio pasivo) por poseer intereses comunes.

MAYORÍA.- Mayor número de votos obtenido en una votación, sin alcanzar la mayoría absoluta.

MAYORÍA ABSOLUTA.- Número de votos, a favor o en contra de una propuesta, que representan, al menos, a la mitad mas uno de los votos posibles.

MEJORAS.- (V. obras de mejora).

MOROSIDAD.- Tardanza, lentitud, dilación.

MOROSO.- En las comunidades de propietarios, dícese de aquél que se retrasa en los pagos de los gastos generales, sin motivo o causa justificados.

NORMAS DE RÉGIMEN INTERIOR.- (V. Reglamento de Régimen Interior).

NUDO PROPIETARIO.- Persona que tiene la nuda propiedad de una cosa, esto es, el dominio de un bien sobre el que pesa un derecho de usufructo, de uso o de habitación.

NULIDAD.- Se entiende que un acto es nulo de pleno derecho cuando es contrario a normas imperativas o prohibitivas, a la moral o el orden público; estos actos no necesitan ser declarados judicialmente nulos, salvo que a la parte le interese hacer cesar la apariencia de su legalidad y su inmediata ejecutividad, en cuyo caso la acción declarativa correspondiente no está sujeta a plazo alguno.

OBRAS DE ACCESIBILIDAD.- Son aquellas que se consideran necesarias para que las personas con diversidad funcional puedan realizar un uso adecuado de los elementos comunes incluyendo la instalación de dispositivos mecánicos y electrónicos que favorezcan su comunicación con el exterior.

OBRAS DE CONSERVACIÓN.- Obras necesarias para mantener el edificio o bien inmueble en estado de servir para el uso al que fue destinado. Obligan a todos los propietarios para sufragarlas.

OBRAS DE MEJORA.- Las no requeridas para la adecuada conservación, habitabilidad y seguridad del inmueble, según su naturaleza y características.

No obligan a los propietarios que no hayan votado a favor de su realización siempre que su cuantía no supere el importe de tres mensualidades ordinarias de gastos comunes.

OBRAS DE REPARACIÓN.- Las imprescindibles para mantener los servicios, instalaciones, etc. en situación de servir a los fines para los que fueron destinados.

PAGARÉ.- Documento que obliga al pago de una cantidad en un tiempo determinado.

PASIVO.- Suma de los débitos que tiene contraídos una persona, física o jurídica.// Parte del Balance que acoge el capital aportado, acreedores, etc., las deudas, en suma, que tiene contraídas la empresa, tanto las exigibles como las no exigibles.

PÉRDIDAS Y GANANCIAS.- Cuenta de la contabilidad que, al cierre del ejercicio, recoge en su Debe todos los gastos, compras, amortizaciones, etc. y en su Haber los ingresos. Si la suma del Debe es mayor a la del Haber, habrán pérdidas y en caso contrario, ganancias o beneficio.

PÓLIZA.- Documento donde se reflejan las condiciones del seguro, generales y/o particulares, que tipifican el riesgo de los siniestros a cubrir por el seguro.

PRIVATIVA/O.- (V. elemento privativo).

PRO-INDIVISIÓN.- (V. indiviso).

PRO-INDIVISO.- (V. indiviso).

RECONOCIMIENTO DE DEUDA.- Acto mediante el cual el deudor admite de forma expresa su obligación de pago al acreedor.

REGLAMENTO DE RÉGIMEN INTERIOR.- Normativa aprobada por los copropietarios de una Comunidad para regular los derechos y obligaciones derivados del uso y disfrute de los elementos y servicios comunes del edificio.

REMOCIÓN.- Cese en el o los cargos de Presidente, Secretario, Administrador y cualquier otro que la Comunidad hubiere designado anteriormente, para ser sustituidos por la o las personas que la Junta de Propietarios apruebe.

REPARACIONES EXTRAORDINARIAS.- Las que se producen como consecuencia de sucesos imprevistos, no contemplados de antemano.

REPARACIONES ORDINARIAS.- Las habituales para mantener los elementos comunes del edificio, previstas con antelación y derivadas del desgaste o uso cotidiano.

RESARCIR.- Compensar, restituir, reparar, indemnizar.

SALDAR.- Igualar las sumas del Debe y del Haber.

SALDO.- Diferencia entre la suma del Debe y del Haber.

SEGREGACIÓN.- Separación de parte de una finca inmatriculada, para formar una finca nueva que a su vez deberá inmatricularse.

SEGURO.- Contrato suscrito entre el asegurador (compañía de seguros) y el asegurado que sería el receptor de la indemnización pactada en caso de siniestro o perjuicio cubierto y predeterminado en las condiciones de la póliza.

SERVIDUMBRE.- Derecho real que grava una cosa o bien inmueble en beneficio de persona ajena a la propiedad, o de finca correspondiente a otro propietario.

SUNTUARIO.- Lujoso, ostentoso.

TITULAR REGISTRAL.- Persona a la que corresponde, en virtud de la inscripción en el registro correspondiente, la propiedad o un determinado derecho real sobre bienes inmuebles registrados.

TÍTULO.- Documento justificativo de la adquisición, modificación o extinción de un derecho real.

TRANSMISIÓN.- Acción y efecto de transmitir.// Adjudicar, ceder, traspasar.

UNANIMIDAD.- Decisión adoptada por todos los asistentes a una Junta de Propietarios, sin excepción, respecto de cualquier propuesta planteada.

USUFRUCTO.- Derecho de uso de la cosa o bien inmueble ajeno, aprovechándose de sus frutos y sin deteriorarla. La propiedad del bien sometido a usufructo se denomina nuda propiedad.

VALOR A NUEVO.- Valor que se actualiza.

VALOR CATASTRAL.- El fijado, por los organismos públicos competentes, a los bienes inmuebles, a efectos de su repercusión impositiva.

VALOR REAL.- El que tienen las cosas en el mercado libre.

VENCIMIENTO.- Fecha en la que debe cumplirse una obligación de pago.

17. BIBLIOGRAFÍA

Rosat Aced I. (Coordinación): *GPS PROPIEDAD HORIZONTAL. Guía íntegra para la Administración de Fincas*. Editorial Tirant lo Blanch.